N
W
E
S
START
HERE
1
2
3
4
5
6
7
8
9
10
11
12
13
14
15
16
17
18
19
20
21
22
23
24
25
26
27
28
29
30
31
32
33
34
35
36
37
38
39
40
41
42
43
44
45
46
47
48
49
50
51
52
53
54
55
56
57
58
59
60
61
62
63
64
65
66
67
68
69
70
71
72
73
74
75

88
89
91
92
93
94
95
96
97
98
99
100
101
102
103
104
105
106
107
108
109
110
111
112
113
114
127
128
129
130
132
133
134
135
136
137
141
142
143
144
145
146
147
148
149
150
151
152
153
154
156
158
159
160
161
162
163
164

76
77
78
79
80
81
82
83
84
85
86
87
118
119
120
121
122
123
124
125
126

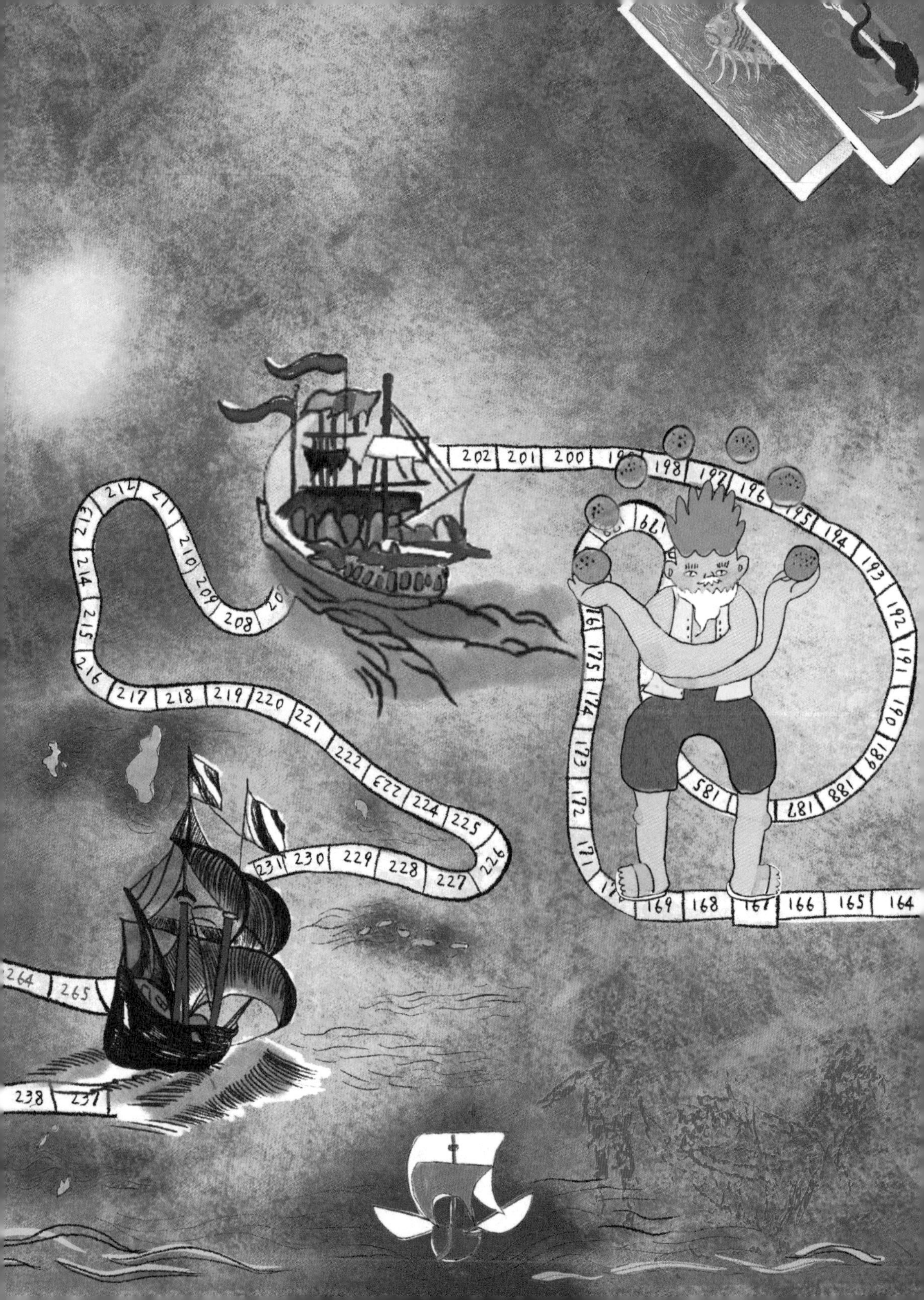

164
165
166
167
168
169
171
172
173
174
175
179
185
187
188
189
190
191
192
193
194
195
196
197
198
200
201
202
208
209
210
211
212
213
214
215
216
217
218
219
220
221
222
223
224
225
226
227
228
229
230
231
237
238
264
265

# 航海王大冒險

文　王文華
圖　李恩

## 楔子——
# 神奇桌遊社

可能小學位於捷運動物園站的下一站。

或許你會問：捷運動物園站已經是終點站了啊，哪來的下一站？

那是因為，在可能小學裡，沒有不可能的事啊。

這是可能小學的校訓，卻是五年級尤瑩嘉很生氣的事。

她家開桌遊餐廳，別的孩子玩奶嘴、抱奶瓶的年紀，她就已經爬到桌上，跟著媽媽比「冰凍企鵝」；別人還不識字的時候，她玩「妙語說書人」，創下連贏二十八個大學生的記錄，至今無人能破。

這學期，她終於升到五年級，可以參加社團了。

但是，學校卻沒有桌遊社！

她在校長室裡，追著可憐兮兮的校長一問再問：「既然可能小學什麼事都有可能，為什麼沒有桌遊社？」

校長有一肚子苦水啊。

這個年代，誰不想參加那種又炫又酷的社團？

「火星賽車社」——尋求各種飛到火星去賽車的可能性，夠不夠吸引人？

「穿越密室基地逃脫社」——光聽這麼酷的名字，是不是就讓人熱血沸騰？

還有魔法出爐社、女巫也不懂的化學社……，每個社團都讓可能小學的小朋友擠破頭，想參加這些社團的申請書，塞爆了可能小學社團事務處。

但是桌遊社……

校長把一個破掉的招牌交給尤瑩嘉：「你自己看吧，神奇桌遊社已經六年沒有學生報名了，當年的指導老師因為招生不足，羞愧到去學生餐廳賣胡椒餅，連指導老師都沒了。」

「我要怎麼做，才能讓它起死回生？」尤瑩嘉沒有退縮，眼神散發強烈的熱情。

校長兩手一攤：「學校經費無限，也得社團招得到人，不然這樣吧，你先把胡迭香老師找回來當指導老師，再想辦法找到社員，神奇桌遊社就能重新開辦。」

聽起來不難！

先找那個什麼胡迭香去！

學生餐廳裡，滿頭大汗的老胡搖著頭。

對，他就是胡迭香老師，長得虎背熊腰，要不是校長說他曾經是桌遊社指導老師，要不是他的鬍子修得很有型，怎麼看都像菜市場賣豬肉的屠夫：「現在這年代，大家都寧可玩手遊，不肯玩桌遊，你別浪費時間，還是來買胡椒餅吧！桌上這一塊，應該還沒壞！」

尤瑩嘉客氣的推開餅：「我們目前急缺指導老師，你要是肯來幫忙，我每天中午都來捧場吃胡椒餅。」

「我來吧！」隔壁的咖哩雞老闆娘說：「你只要天天來點咖哩雞，不管你要我指導什麼，我都說好。」

「我只要老胡！」尤瑩嘉說。

「我整天忙著烤胡椒餅，沒有什麼玩遊戲的心情。」老胡說。

「你說話這麼愛押韻，難道是饒舌歌手？」

「那是很久以前的事了。」

「校長還說你以前曾經當過桌遊社指導老師。」

「那是更久以前的事了。」老胡搖了搖頭：「現在隱姓埋名，賣餅維生！」

「你放心，我當社長，絕對不一樣。」

尤瑩嘉凡事都想贏，她的身材本來不高，但因為不想坐第一排，從一年級就下定決心，每天跳繩，跳著跳著，竟然被她跳成全年級女生第一高。

連身高都能贏，她當社長，一定沒有事情擺不平！

「復興桌遊社，我已經擬定超完美的計畫，第一件待辦事項就是等你說好。」

老胡嘆口氣：「好吧！只是六點前我就得走啊，學生餐廳生意差，我得去夜市賣餅養家。」

於是，學生餐廳賣胡椒餅的老胡，再度當起桌遊社的指導老師。

往桌遊社的路上，老胡問：「你的桌遊社幾個社員了？」

「目前只有我，未來無限多。」尤瑩嘉玩遊戲從沒當過輸家，當社長她有把握。

老胡忍不住停了下來，語重心長：「是不是等你多找幾個社員，我們再來約時間見面？」

「我們應該先想怎樣擴大招生？」尤瑩嘉的熱情，沒人能拒絕，她說到這兒，桌遊社的社辦到了，推開門，裡頭竟然有個男孩。

男孩長手長腳，溫文儒雅。

「你的桌遊社，究竟有幾個社員？」老胡只關心這件事。

「一個，就是我！」尤瑩嘉說。

男孩舉起手：「還有我！」

「你？」他們兩個同時問：「你誰啊？」

「我是史強生，可能小學歷史最強的小學生。校長說歷史社額滿了，要我改選桌遊社，如果你們想知道神奇桌遊社的歷史，我可以立刻上臺做簡報。」

尤瑩嘉拍著手：「指導老師來了，社員有了，我宣布：桌遊社即日起，正式成立！」

# 目錄

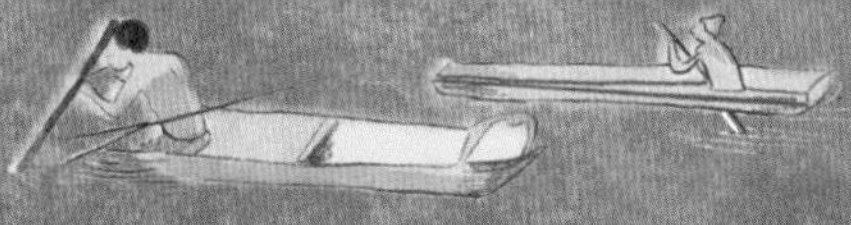

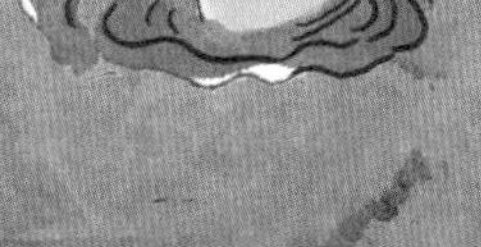

# 人物介紹

## 老胡

學生餐廳烤胡椒餅的廚師也是夜市兼職賣胡椒餅的大叔，還好他的鬍子修得很有型，不然看起來很像賣豬肉的屠夫。老胡說話像在念饒舌，今年再度被聘為可能小學桌遊社指導老師。

## 尤瑩嘉

可能小學「再度神奇桌遊社」的社長，家裡經營桌遊餐廳，只要玩遊戲，她每一場都想贏。在她升上可能小學五年級的第一天，她只在乎一件事：加入桌遊社，重新擦亮桌遊社的招牌。

號稱歷史最強小學生，他也是「體強生」和「美強生」，體育、美術都很強。從小就對歷史著迷，因為歷史社額滿了，在校長的強力介紹下，成了可能小學「再度神奇桌遊社」唯一的社員。

27
26
25
24
23
22
21
20
19
18
17
15
可能小學

## 亨利

葡萄牙的王子，名字葡萄牙語發音是「恩里克」。他開創了世界第一所航海學校，也支持海上探險活動，希望船隊能挑戰魔鬼海，找到去東方的路，把黃金和胡椒帶回葡萄牙。

## 哥倫布

出生於熱內亞共和國，深信地球是圓的，只要一直往西走，就能到達東方的印度。西班牙女王支持他的探險行動，卻被整船的水手嘲笑他是個騙子，騙他們在海上漂流，餓到只能抓老鼠吃。

40
39
38
37
36
35
34
33
32
31
29
28

## 達伽馬

地理大發現時代著名的探險家之一，使葡萄牙成功的成為殖民帝國，他帶領船隊繞過好望角，找到前往印度的新航線，但在印度遇到波斯商人，彼此衝突，大戰一觸即發。

## 麥哲倫

出生在葡萄牙的落魄騎士後代，曾在葡萄牙王室圖書館裡找到一份地圖，因為深信有條航路能快速穿過南美洲大陸，然而那條航線卻一直找不到，船隊進入冰封的大地，激起水手叛變，他該怎麼辦？

55
54
53
52
51
50
49
48
47
46
45
44
43

# 1 航海王大冒險

社團課在每星期二的最後一節課。這天，史強生抵達社辦時，尤瑩嘉請他幫忙掛招牌。

史強生看了看招牌：「『再度神奇桌遊社？』，你把名字改了？」

「有個響亮的好名字，才能招募到更多社員。」

尤瑩嘉手上有張清單，列了幾件待辦事項：

- ☑ 師資——找到指導老師、成立社團。
- ☑ 社員——至少要有一名社員（史強生）。
- □ 招牌——再度神奇桌遊社。
- □ 開會——選出幹部，制訂年度計畫。
- □ 招社員——用最經典的十項桌遊，拉人試玩，擴大招募社員。
- □ 長期目標——社員人數，贏過倒數第二名的奇語花織社。

尤瑩嘉拿出筆，把招牌那一欄也打勾，這才幫著史強生把椅子搬出來掛招牌。

夕陽西下的可能小學，金光染亮草皮，史強生掛上招牌時，招牌電了他一下。他甩甩手，狐疑的望著招牌，是靜電嗎？招牌有道閃光，仔細看，卻又不像。

「『再度神奇桌遊社』，好聽吧？」尤瑩嘉笑著說：「招牌沒問題了，我們等指導老師來了，馬上開社團大會。」

尤瑩嘉心中有個「重返榮耀」的大計畫。

「全校倒數第二名的社團是『奇語花織社』，只有四個人，」尤瑩嘉悄聲的說：「追過倒數第三的『無人識出密碼社』也不難，現在人人都有手機了，沒人想學這個！」

說到這兒，她拍了拍史強生：「一個一個追過去，總有一天，我們會變成第一名。」她說這話時，大門被人打開了，人高馬大的老胡，探進頭來看看四周：「你們整理過啦？」

老胡挑張椅子坐下，尤瑩嘉把她的社團計畫打開，用筆再勾：

☑ 開會——選出幹部，制訂年度計畫。

「老師，今天玩什麼？」尤瑩嘉的背包裡，有五、六盒經典的桌遊，像是印加寶藏、閃靈快手……，「你想玩哪一種？我可以教你，這些遊戲規則都很簡單。」尤瑩嘉擔心，老胡看起來只會烤胡椒餅，懷疑他當指導老師只是掛個名，可能連「桌遊」都沒聽過。

老胡瞄了一眼她帶的遊戲：「餐廳沒事的時候，廚師就玩這種普通的桌遊。」

「這些你全都玩過？」

「學生餐廳的廚師，都喜歡玩遊戲。咖哩雞老闆娘喜歡『德國圍棋』，陽春麵小張擅長『冒險胡迪』，別看他們整天笑嘻嘻，玩遊戲喜歡耍詭計！」老胡說話的語速快，就像在唱饒舌歌。他走到黑板後頭，像變魔法般，挖出一盒桌遊。

「航海王大冒險？」尤瑩嘉從小玩桌遊，卻沒看過這款遊戲，木質的盒面畫了一艘海盜船，寫著：

跟著大航海時代的船長出海冒險！

出生入死，鋌而走險，還要小心掉進陌生海域的艱難挑戰。

尤瑩嘉迫不及待打開盒子，拿出遊戲板，拼成一張中世紀世界地圖，裡頭有顆古老的骰子、一疊任務卡和紙質粗糙的說明書。

她在研究說明書的時候，史強生像臺播報機，在一旁替她說明大航海時代的背景。他是歷史最強小學生，大航海時代他很熟：

「大航海時代」又叫做「地理大發現」，它是指西元十五世紀末到十六世紀時期，歐洲的船隊出現在世界各處的海洋，尋找新的貿易路線，起因在當時波斯打敗羅馬，地中海的貿易路線不通，胡椒的價格漲成天價，普通人買不起……

老胡聽了有意見：「胡椒便宜味道香，促進食欲身體健康；我每天用一袋裝，做好的胡椒餅連小學生也說香，生意想做得長久，胡椒便宜是最大的理由！」

史強生指著那張拼好的地圖：「當時，只有印度才產胡椒，可是陸地上有威尼斯人壟斷生意，他們控制價錢，胡椒貴得不得了，歐洲人只能往海上找新航路。」

「這條路，就是胡椒之路。」老胡笑著說：「賣胡椒餅，要懂胡椒的行情，歐洲人拿胡椒醃肉，也拿胡椒來治病，十五世紀葡萄牙的亨利王子最愛胡椒料理……」

「亨利王子在第一站。」尤瑩嘉揚揚手裡的小船：「我們要從葡萄牙的里斯本出發。」

「大航海時代是亨利王子推動的。」史強生知道這段歷史，「為了鼓勵航海，開設航海學校、打造新型的船艦，尋找黃金，後來還做奴隸交易……」

「玩遊戲不用知道這麼多。」尤瑩嘉搖搖頭：「趕快來玩吧。」

「知道歷史背景，會讓你玩得更有勁。」史強生看看地圖，找到里斯本：「沒有亨利王子，就不會有後來的地理大發現。」

老胡舉起手：「我等了六年，桌遊社終於又像當年。你們慢慢玩，我先去夜市賣餅賺錢！」

老胡走了，關上社團門時，屋裡的燈光閃了一下。

「教室的燈該換了。」尤瑩嘉在待辦事項上加了一條。

## □燈泡——要買四個省電燈泡。

「這遊戲是一到多人能玩的桌遊，擲骰子就往前進，從里斯本出發，繞一圈回來，誰恰好登陸，誰就獲勝，格子裡有指示，有的翻任務卡，有的直接下指令！」尤瑩嘉經常在家裡經營的桌遊餐廳，帶小朋友玩桌遊，介紹遊戲規則，簡單明瞭：「我先囉！」

燈泡又閃了一閃。

骰子有十八個面，她一扔出去，骰子滾出一個「1」，尤瑩嘉把棋子擺在第一格上。

「任務！」格子裡寫著。

她翻任務卡時，外頭有閃光，蹦奇蹦奇的聲響，像火車。

可能小學裡沒有火車站，怎麼會有火車的聲音？

史強生剛這麼想，尤瑩嘉抽出一張任務卡，上頭畫著瘋狗浪，有艘船快被浪捲走了。下面有幾行字：

葡萄牙的亨利王子開創世界第一所航海學校，他支持海上探險活動，讓葡萄牙率先成為大航海時代贏家。想成為海上之王，就得先通過綠色魔鬼海，你敢幫王子征服魔鬼海嗎？請先完成以下任務：「為奴亦為王，揚帆戰心魔。」

史強生是歷史迷，卻從來沒聽過綠色魔鬼海。尤瑩嘉玩過太多桌遊，她知道，這種卡片都是逼人讀一串背景說明。「別理它，該你了。」而她只想快速的「贏」。

然而，史強生拿起骰子時，有股極細微的電流，從手指傳到手臂，他望著尤瑩嘉，尤瑩嘉也正望著他。火車蹦奇蹦奇的聲音變大了，不知道是不是跳電，屋子裡瞬間黑漆漆。

尤瑩嘉嘆氣：「社團教室太老舊，要換新的東西真不少。等下幫我數一數，這間房裡，有多少盞燈泡！」

話還沒說完，外頭傳來一陣急促的敲門聲。

「一定是老胡。」尤瑩嘉猜。史強生搖搖頭：「他不是要去夜市賣餅嗎？」

超時空遊戲機

# 地理大發現時代重要人物與事蹟

如果要說地理大發現的起點，絕對不能不提到亨利王子（1394～1460年），也有人譯為恩里克王子。他被尊稱為「航海家亨利」，建立世界首間航海學校，為葡萄牙航海事業的奠下重要基石，在他之後，每一個從事地理大發現的人，幾乎都是沿著他的足跡前進的。

13～14世紀

馬可．波羅，著有《馬可．波羅遊記》，激起歐洲人對東方的嚮往。

1405～1433年

鄭和七次出使「西洋」各國，期間帶回麒麟（即長頸鹿）等奇珍異獸。

1415年

葡萄牙亨利王子的遠征船隊開始探索非洲西北部。

1434年

伊恩斯穿越非洲西岸的博哈多爾角（綠色魔鬼海），並成功返回。

1488年

巴瑟羅繆．迪亞士發現非洲好望角。

1492年

哥倫布首航美洲。

1498年

達伽馬抵達印度，開闢印度航路與香料貿易。

1519～1522年

麥哲倫的船隊完成航行世界一周。

# 2 亨利王子

他們摸黑找到門把，門外有人，乍看以為是老胡，仔細一看，卻是個紅頭髮的外籍老師，他說：「沒聽見號角吹起嗎？不知道畢業典禮即將舉行了嗎？你們怎麼還沒出去？」

「畢業？你找錯人了，」尤瑩嘉想轉身關上門：「史強生，輪到你丟骰子了。」

洋老師不肯：「航海學校這麼多人，我伊恩斯最恨遲到的人！」

「我在可能小學五年，沒見過你這麼凶巴巴的老師。」尤瑩嘉氣人家打斷她玩桌遊：「又還沒下課，就算你是老師，也要講道理啊！」

跟在她後頭的史強生，拉住她。

「怎麼啦？」尤瑩嘉沒好氣的問。

「你自己看！」史強生指指室外。

明明這是最後一節課，應該接近黃昏了，但是現在室外的溫度、光線和空氣……

涼爽的氣息，淡淡的薄霧，感覺像早晨！

初升的陽光灑在草地上的大船，喔！不對，那是一棟像船的紅磚建築，中間立了根桅杆，白色巨帆畫著紅十字架，看起來像校旗。穿著白衣黑褲的年輕人聚在草地上。

可能小學的校舍不見了，山丘變成海灣，遠處的房屋看起來像違章建築，紅磚木造混合，路上有人騎馬、有人趕羊，而且天空沒有一條電線，路上沒有電線桿。

好像回到古代了？

尤瑩嘉想退回教室去，然而他們出來的地方變成了海灣，停了三艘帆船。

伊恩斯腳步快，帶頭走向那群人，他們只能緊追在後頭。

史強生激動極了：「這是可能小學的課程，我們穿越了。」

「穿越？」尤瑩嘉不懂。

「我等了五年，終於等到這堂課，」史強生樂得手舞足蹈，說得口沫橫飛：「這是可能小學特有的課程，有的人去秦朝看兵馬俑，有的人跑到羅馬競技場，而我們……」

「我們只是到了另一所學校上課？」尤瑩嘉瞪了他一眼：「這有什麼好玩？」

史強生依然興奮：「你自己看嘛！伊恩斯是外國人，我們卻聽得懂他的話，你再看看我們的穿著……」

這一說，提醒了尤瑩嘉，原先身上穿的可能小學制服不見了，她身上的衣服和這裡的人一樣，白衣黑褲：「你既然是歷史最強小學生，那你猜猜我們在什麼年代的什麼地方？」

「什麼年代的什麼地方？」

「你不怕我們回不去？」

「我研究過可能小學歷史，沒有學生回不去。」

「歷史也有可能被打破，如果我們是第一批回不去的學生呢？」

這一說，提醒史強生：「有道理，我們是怎麼來到這裡的？」

「因為有人敲門。」尤瑩嘉說。

「那敲門之前呢？我們做了什麼事？」

「我擲了骰子，翻到一張任務卡，」尤瑩嘉眼睛亮了：「啊，那一定就是我們到這裡的任務！」

「所以這裡一定是亨利王子時代的葡萄牙。」他們走到人群外了，史強生記得任務卡上的話：「亨利王子創立一所航海學校，沒人敢去魔鬼海，任務是……」

「為奴亦為王，揚帆戰心魔。」尤瑩嘉記性不錯：「奴是奴隸，王是國王，可是要揚帆擊退什麼心魔？」

遇到問題，要冷靜，只有臨危不亂，才能找到答案。史強生知道歷史上的大英雄，都是這樣解決難關的：「我們只要完成任務，就能回去了。」

尤瑩嘉沒回答他，因為她正注視著前方。

五個騎士正騎著馬過來了。五個人的身高都差不多，都是一式緊身衣褲，還有披風，最前面的騎士，戴著王冠，腰上佩著長劍。

「王子！王子！」所有的人喊著。

帶頭的一定是王子，他頂多二十來歲，鬍子修得整整齊齊，絲質的襯衫和皮質黑褲，有種貴族氣息，他跳下馬，尤瑩嘉看見，王子的眼珠是藍色的。

能親眼見到歷史人物，史強生眼睛睜得大大的，他怕一眨眼，少看王子一眼。

王子指著一個年輕人問：「賽梅因，本事學得怎麼樣？」

「我會駕船，還會用四分儀。」賽梅因一頭紅髮，個子高：「不像迪亞哥，他不會游泳。」

旁邊矮胖的年輕人應該就是迪亞哥，他搶著說：「王子，我會游泳，只是沒游得那麼好，而且我會駕船、觀風向、利用星星找方位。」

「賽梅因、迪亞哥和伊恩斯，你們是這批學員裡最傑出的人，你們一定要找出東方航線。」王子讓他們坐下，說：「我在休達認識很多旅人，他們告訴我，沙漠和高山阻隔的那邊，有個國家，他們用黃金蓋屋子，用白銀做橋梁，樹上的葉子是彩色的絲綢。」

「哇！」眾人發出一聲驚嘆。

「我們用的胡椒也從那裡來，還有絲綢，還有那些薄得像蟬翼的瓷器。」

「您說的是絲路吧？」史強生忍不住插嘴。

王子給他一個讚賞的眼神：「馬可．波羅就走絲路去的，他回來後，口述成一本書，就是講這趟旅行！」

「《馬可．波羅遊記》，」史強生很清楚，「據說他到過中國！」

亨利王子神情變得嚴肅：「波斯人控制這條路之後，我們再也去不成了，東方的物品、價格全被他們掌控了。」

「難怪胡椒價格越來越貴！」賽梅因皺眉。

「我好幾個月沒吃到胡椒啦！」迪亞哥也說。

亨利王子望著那三艘帆船：「我設立這所航海學校，對你們的要求只有一件——挑戰魔鬼海，找到去東方的路，把黃金和胡椒帶回葡萄牙。」

所有的學員大叫起來：「魔鬼海，那是恐怖的海洋，千百年來，沒人敢去的地方。海裡的鹽層，厚得連十條牛都犁不開，經過那裡的基督徒，都會變成黑人。」

史強生有疑問：「去過的船都回不來？」

「一艘都沒有。」他們絕望的說。

「那些水手呢？」他追問。

「不是被食人族吃了，就是變成黑人。」賽梅因說。

「真是太恐怖了！」迪亞哥說。

「船回不來，水手也都被吃掉了，那這個消息又是誰說的？」

「啊？」

嘈雜的聲音戛然停止，賽梅因指著伊恩斯：「他去過，這個膽小鬼掉頭跑回來，這是和他同船的水手說的！」

「他以前是王子的奴隸。」另一個人說。

「奴隸的膽子比老鼠小！」賽梅因大笑，尤瑩嘉看看伊恩斯，他黝黑的臉上看不出表情。

「伊恩斯膽子小？」亨利王子一開口，大家又安靜了：「幾年前我們攻打休達，那座城的牆特別的高，白天打不進去，想趁夜色偷襲，他們卻用獅子把守著城門。」

「獅子？」眾人吐吐舌頭。

「沒人敢去，只有伊恩斯接下任務，他帶了幾頭羊，摸黑溜到休達城。那些獅子撲咬羊的聲音，我到現在還記得。」

史強生看看伊恩斯，他臉上還是沒有任何表情。

「摩爾人以為有獅子看守萬無一失，晚上就沒派衛兵守門，他們沒想到，伊恩斯從獅子群裡爬上牆，打開門。相信我，那才叫做勇者。」

「但是他去了魔鬼海，嚇得逃回來了！」

亨利王子舉手讓大家靜下來：「你們可以笑他，只是你們敢闖進綠色魔鬼海，越過博哈多爾角嗎？」

學員們全都低下了頭。

「伊恩斯曾經是我的奴隸，他回頭是因為沒有準備好。這麼多年

來，只有他最接近魔鬼海，只要敢到大海闖，就是海上之王。我也是聽了他的描述，開始找人辨造船廠，造出又快又穩的船，研究出更好的帆，然後才有這間學校，才有你們。」

「我們？」所有的學員問。

「你們畢業了，可以陪伊恩斯挑戰綠色魔鬼海了。」

尤瑩嘉最在意任務，在意能不能「贏」，她舉手：

「王子，我們什麼時候出發去征服綠色魔鬼海？」

「年輕的小姑娘，你敢去嗎？」王子嚴肅的望著她。

事關桌遊任務，她毫不猶豫：「當然敢！」

「如果葡萄牙的男人也像你這麼勇敢，我們的船絕對能航向世上任何一個地方。」王子回頭望著賽梅因：

「你敢不敢去呢？」

賽梅因大叫一聲：「我當然敢去！」

迪亞哥振臂狂呼：「我也敢去！」

「你們畢業了，勇敢出發吧！」亨利王子把手一揮，所有的人都動了起來。學生們跑向海灣那三艘船，原來他們的畢業典禮，就是去挑戰魔鬼海。

尤瑩嘉拉著史強生：「我們也快走吧！」

大部分的學生，都跟著賽梅因和迪亞哥。伊恩斯的船上，沒有幾個人。

「該選哪一艘？」史強生問。

「為奴亦為王，揚帆戰心魔。」尤瑩嘉記得任務卡上的話，遊戲想要贏，說明要讀得夠清楚，這是遊戲守則第二條。那麼「奴」……

「伊恩斯原來是王子的奴隸，王子說了，只要敢到大海闖，就是海上之王。為奴亦為王，他最像任務卡上說的人選。」尤瑩嘉催促：

「想要贏，下手要快！」史強生看看船上的伊恩斯，他的個子高，越看越像老胡，如果鬍子再修得漂亮一點……

但是老胡去夜市賣餅了啊！

船上的人都安靜的等著。

「伊恩斯，要出發了嗎？」另一艘的賽梅因問。

「伊恩斯，該揚帆了吧？」另一艘的迪亞哥也在問。

揚帆？

「揚帆戰心魔，只有揚帆出發，才能打敗心魔嘛！」尤瑩嘉朝伊恩斯說：「不把帆張開，怎麼去闖魔鬼海？」

「魔鬼海有海怪，去的人回不來……」伊恩斯的表情，看起來有點遲疑。

玩遊戲遇到選擇的局面，尤瑩嘉就會告訴自己，要勇敢嘗試，她大叫：「你不試，怎麼知道輸贏？」

「真的要試？」伊恩斯看著大家。

「歷史上的英雄，在關鍵時刻都會大膽嘗試。赤壁之戰的周瑜、淝水之戰的謝安、亞歷山大和拿破崙……」史強生想到什麼說什麼，沒去想一個葡萄牙人，認不認識周瑜和謝安，「帆不打開，永遠闖不過魔鬼海！」

「該出發了！」尤瑩嘉大叫。

「該出發了！」其他船的學員也大叫！

伊恩斯站到船首，把帽子舉起來，高高的指著前方：「我下令，出發！」

三艘船同時把帆張開，海風吹凸白色巨帆，帆布颯颯作響，船輕水快，揮手送行的王子，一下子就像個小公仔了。

尤瑩嘉和史強生張開雙臂，享受海風吹拂的感覺，能來趟海上冒險的課程，真是太棒了。正掌舵的伊恩斯指揮他們：「船長室有地圖，速速取來免走冤枉路。」

「沒問題！」兩人拉開船長室的門，嘿！有股極細微的電流，傳到他們的指尖，一陣隆隆隆隆的聲音傳來，他們推開門，嚇了一跳！

# 3 海面巨眼

幾盞要亮不亮的燈，一張擺著遊戲的桌子。

這是再度神奇桌遊社啊！他們竟然回來了！

「我們為什麼回來了？怎麼這麼快！我還沒有去魔鬼海冒險！」

史強生急得跺腳。

「因為完成任務了啊，我大概弄懂了，那句『為奴亦為王』說的

是角色——伊恩斯：『揚帆戰心魔』指的是作法——他要駕著船去挑戰魔鬼海，所以他揚帆時，我們的任務就完成了。」

亨利王子的任務卡上還有一行字：完成任務，往前三格。

尤瑩嘉把小船往前移動，格子上寫著「風平浪靜」，她說：「真可惜，不知道他成功了沒有？」

「他一定成功啦，因為亨利王子開啟了大航海時代，伊恩斯肯定占有一定的地位，」史強生比較不滿的是：「這課程太短了，我等了五年，根本還沒玩夠。」

「也只能下課了！」尤瑩嘉想把門打開，但門開不了，她回頭，走到桌子邊，拿起骰子：「我想，遊戲應該還沒結束，我們還有『課』要上。」

史強生歡呼一聲：「現在輪到我了。」十八面的骰子滴溜溜的轉，是個「4」。史強生開心的把小船往前移四格，剛剛好停在大海上，格子裡畫了顆眼睛。

蹦奇蹦奇的聲音響起。

燈光閃了閃。

地面晃了一下。

尤瑩嘉以為是地震，像兔子般跳起來，衝過去開門，她手握到門把才想到，剛才試過了，門打不開。

沒想到，這回門一扭就開，她揉揉眼，外頭就是汪洋大海，他們怎麼又回到了船上？沒見過的水手邊跑邊叫：「海怪！海怪！」

可能小學也太厲害了，怎麼能瞬間把他們送到這艘船上來？

「這是什麼年代、什麼地方？」她想問史強生，卻沒看到人。

「海怪！」一個滿臉大鬍子的男人一臉驚恐，海裡伸出一隻三四層樓高的觸手，將那人一捲，大鬍子兩手抓著門，拚命抵抗，但觸手的力氣更大，尤瑩嘉連眼都來不及眨，那人就被帶進海裡了。

「這在演電影啊……」她跑到船邊，另一隻觸手朝她捲過來，她的肩頭被人一撞，跌到甲板上。

是史強生來了。

「快，快跑！」

尤瑩嘉當然什麼遊戲都想當贏家，但是被大海怪捲走？可能小學怎麼會有這種課程啊？

尤瑩嘉心裡有一百個OS，她很想停下腳步，問問如果被捲走會怎樣，但史強生拉著她，閃過朝著他們捲來的觸手，浪潮拍船，淒厲的叫聲此起彼落。

「這要怎麼過關？」尤瑩嘉問：「這回又沒有任務卡。」

史強生全身細胞都在動，一邊提防觸手，一邊閃過奔跑的人，一邊竟然看到……

湛藍大海，跟在船邊的，是顆隨著水

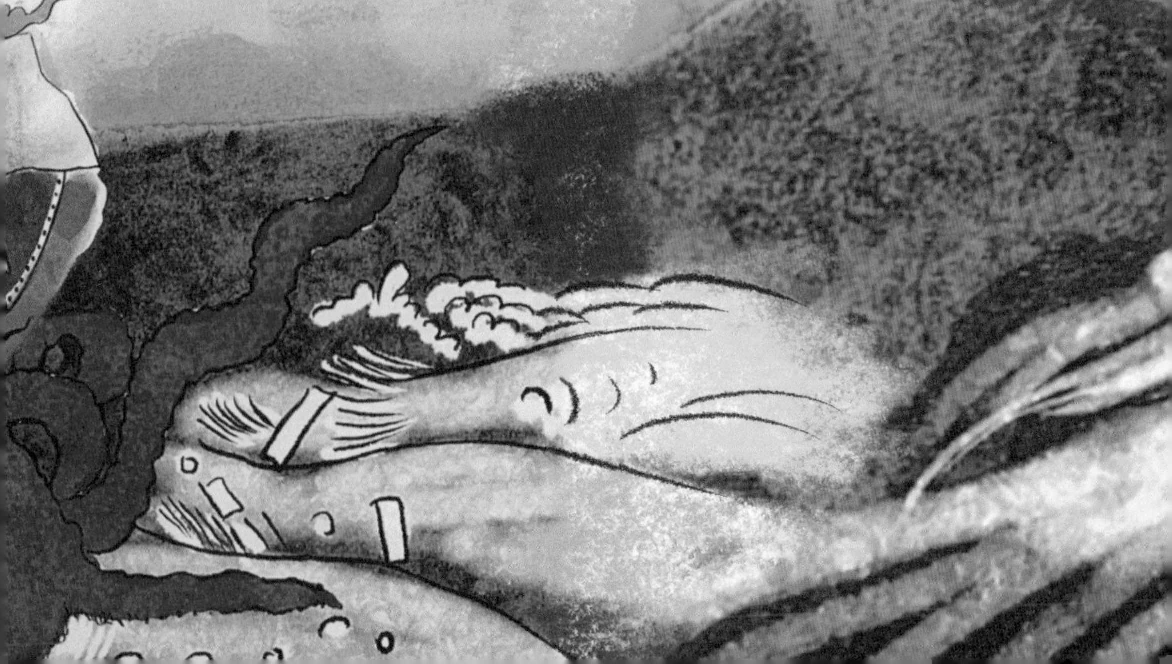

流移動巨大的頭，牠的眼睛比學校一百吋的電視還大。

那個巨眼看著他，潑啦一聲，一根觸手從另一頭伸過來，史強生反應好，和尤瑩嘉趴在地上，觸手沒捲到他們，向右一甩，砰啪，木屑四射，船艙被拍得粉碎，要是牠再多拍幾下……

「怎麼辦？」尤瑩嘉大叫。

「那裡！」史強生發現船首有枝魚叉，他在搖晃的甲板上，閃過兩隻觸手，身體一躍，千鈞一髮之際，抓住魚叉，卻拿不起來。

是誰在開玩笑啦？這麼危險的時候，誰還把魚叉綁著？

他動手想解開魚叉，船尾傳出巨響，觸手把船拍破一個大洞，四根巨大的觸手從海底伸出，像參天大樹般，眼看就要甩上這艘殘破不堪的木船時，有人把魚叉遞到他手裡，是尤瑩嘉。

「我解開了。」

那隻眼睛還在，史強生跑到船首，用力把魚叉射出去。

嚓！魚叉射進海怪眼睛，大量的黑水冒出來，海怪受不了疼，沉入水底，觸手跟著消失，只有一個倒楣的水手，同時被拖進水裡。

砰的又一聲，這艘船真的解體了，船首往上翹，然後被一股極大的力量緩緩拉進水裡。

「準備！」史強生一臉認真。

「準備什麼呀？」尤瑩嘉問。

「船沉下去時會有漩渦，我看電影都是這麼演的，等它沉到一個高度，我們要跳進海裡！」

「我不會游泳啊！」尤瑩嘉大喊，「這是什麼恐怖課程啦！」

「你別怕，史強生是歷史最強小學生，也是體育最強小學生，我會想辦法救你。」

「最好是啦！」尤瑩嘉望著越來越近的海面，她深吸一口氣，和史強生手牽手，一躍而下。

# 4 誠實才能完成任務

「我不要淹死，我不要淹死！」尤瑩嘉等著落水，她還想，一定會很冷，一定會喝到很多水，史強生你一定要……

沒有。什麼事都沒發生。

她睜開眼睛，發現史強生和她一樣迷惑。

啪啪啪啪的聲音，來自頭上。有隻蛾，一直撞擊再度神奇桌遊社

的燈泡。

桌子上，那艘小船還停在畫有眼睛的格子上。

「剛才是怎麼回事？」史強生不太懂。

「這就是一個小任務，讓你休息一下用的，就像休息站。」尤瑩嘉猜。

「這種休息站也太可怕了！」史強生搖搖頭：「差點回不來。」

尤瑩嘉又去試了試門，門很頑強守著，不讓她開，她回到桌邊：「看來遊戲沒結束，我們誰也別想回家，該我了。」

骰子在「6」停止。

尤瑩嘉祈禱自己能有個好運道，小船往前數了六格，又是個「任務」。她翻卡片時，那熟悉的火車過山洞聲又來了，屋裡燈光也跳了一下。

任務卡一邊畫了艘三桅的大船，船的側邊寫著「平塔號」，另一邊寫著字：

哥倫布一四九二年到一五零二年間，在西班牙女王贊助下，四次出海，往西尋找位在東方的印度，他橫渡大西洋，在海上經歷缺水、缺少食物與日漸缺少的希望，哥倫布能成功找到往印度的航線嗎？請先完成以下任務：「富貴西印度，誠實新航路！」

「哥倫布我知道，他想找到去印度的航線，結果找到了美洲大陸！」史強生說完，屋裡的燈再度熄滅，更可怕的是氣味，天啊，那股氣味又臭又濃，像是放了好久的餿水。

「嘔！太噁心了。」尤瑩嘉捏著鼻子，想找電燈開關，在伸手不見五指的環境裡，她憑著記憶，摸到了牆邊，然而她摸到的竟然是個圓圓的桶子。

惡臭就是從那裡傳出來：潮溼霉味、陳年腐敗氣息、死魚死蝦的臭腥味，混濁夾雜讓人避不掉，躲不開。

「先出去再說。」史強生用袖子摀住鼻嘴，察覺到衣服的材質好像怪怪的，他一時也沒空細想，摸索著門的方向，但是門全被一個個噁心腐臭的桶子擋住了。

這屋子搖晃得太厲害，尤瑩嘉不斷的撞到桶子或牆面。

「我們在船上。」史強生判斷：「是我剛剛擲出來的

平塔號。」

「你別考古了。先出去再說！」地上潮溼泥濘，尤瑩嘉一腳踩下去，很難拔出來，咕嘰咕嘰，泥巴死命拉住她的鞋。

史強生終於摸到梯子，往上爬時，尤瑩嘉不小心撞倒一個桶子，咚哐，空木桶在船裡滾動，船搖晃，它咚咚咚咚的滾到後頭，哐哐哐哐的，好幾個木桶跟著滾起來。

「艙底有老鼠！」一道光霍然進來，頭上木門被人拉開。

「抓老鼠！」另一人喊著。

「我好久沒吃到老鼠了！」一大群人喊著，同時間頭頂數道木門被人拉開，好多人跳下來，他們穿著髒兮兮的衣服，臉上是胡亂生長的鬍子，邊喊邊翻邊叫的找老鼠。

陽光照亮這個可悲的船艙，它又亂又小又髒又臭。這群人也很可憐，衣服不知道多久沒換洗了，也不知多久沒洗過澡，卻沒人在乎，他們睜大眼睛，只想找到老鼠。

史強生不斷的問：「請問這是哥倫布的年代對不對？他是不是在船上？」

一個特別矮的水手看他一眼：「讓開讓開，我要找老鼠。」

一個像巨人的水手說：「老鼠在哪裡？我吃膩那些魚了。」

「你們真的吃老鼠？」尤瑩嘉實在很難相信，但她也很想趕快弄明白：「誠實新航路，誰誠實？誰說謊？」

「我沒說謊。」矮水手說：「瓜達拉，你呢？」

「瓜達拉只說實話。」巨人舔舔舌頭：「我們船長比較愛說謊，你不相信，可以問費南多。」

原來矮水手叫做費南多，他沒抓到老鼠，懊惱的爬到空桶上，吆喝大家：「老鼠沒抓到，今天的工作做完啦。」

這一聲吆喝，十幾個水手同聲喊好，他們動作很快，剛才怎麼跳下來，現在怎麼跳回去，對史強生和尤瑩嘉的突然出現，竟然沒有一點懷疑。史強生急忙拉住巨人瓜達拉：「多了我和她，你沒看見嗎？」

「你是幻覺。」巨人瓜達拉說：「我在這船上看過很多次了。」

「你也是幻覺。」矮子費南多指著尤瑩嘉說：「我也看過很多次了。」他們很有默契：「不管是天使、惡魔還是呆呆的小孩，我們在這趟無聊的航行中，都看過很多次了。」

「你們常看到天使和惡魔？」尤瑩嘉問。

「海上待久了，什麼稀奇古怪的事都會出現。」巨人瓜達拉說。

「再怎麼稀奇古怪的事，也沒有比愛說謊的船長還奇怪。」矮子費南多說。

他們一搭一唱，和相聲表演一樣，巨人彎腰和矮子拍了掌，回頭同時唱著：「有個船長愛說謊，他騙水手到遠方。」

「你們的船長，他的大名叫什麼？」

兩個水手同時露出又黃又黑的牙齒接著唱：「哥倫布是我們的騙子船長。」

史強生說話都結巴了，因為又要見到歷史人物了，他嘴脣乾澀：

「我……我可以見他嗎？」

費南多和瓜達拉的身高雖然差距很大，聲音卻很一致：「這個時間，哥倫布船長通常待在船頭，你們如果想聽他吹牛亂扯，千萬不用急，無聊至極的船上時間，永遠用不完，他可以從太陽升上來講到月亮掉下去。」

「為什麼？」尤瑩嘉問。

瓜達拉讓尤瑩嘉先走上去，他在後頭解釋：「他告訴女王，往西邊走可以到東方，這種謊話，女王竟然相信！」

「不但相信，」費南多接著補充：「還派我們陪他到海上，他說有個地方叫地球，只要往西走就能繞一圈回來，哈哈哈，真是個傻瓜對不對？不過，我覺得更傻的是女王，竟然真的信了他。」

瓜達拉把尤瑩嘉拉上甲板，迎面而來的海風，吹散船艙裡噁心的味道。

尤瑩嘉深吸一口空氣：「他不是傻瓜，因為地球真的是圓的。」

史強生點點頭：「哥倫布的說法千真萬確。」

矮子費南多看著巨人瓜達拉，兩人同時搖頭，兩手伸展像在跳舞：「幻覺啊幻覺，怎麼又送來兩個小呆瓜？」這笑聲，感染其他水手：「哈哈哈哈，傻瓜才會在海上漂流這麼久。」

「一開始，哥倫布說地球像一顆橄欖，小小的，圓圓的，三十天就能繞一圈。」費南多笑得跌到地上。

瓜達拉拉起他：「我們也是傻瓜，跟他在海上航行了六十天後，哥倫布又改口，他說，唉呀～不對，地球長大了，它大概像顆橘子，還要再多走幾天，才能繞一圈。」

全船的水手站起來，像在跳土風舞，他們相互嘲笑對方：「但是，我們這群傻瓜。」

「你傻瓜。」

「我傻瓜。」

「我們都是大傻瓜！」

全船水手同時大喊：「走了九十天，船長昨天說了，唉呀呀呀呀，我想地球其實是顆大西瓜！」

「西瓜，西瓜，地球是顆大西瓜。」他們笑得上氣不接下氣：「永遠到不了的東方。」

「地球真的是圓的啊！」史強生說。

「謝謝你，孩子！」

一隻大手拍拍他，史強生抬頭一看，脫口而出的是：「老胡？」

超時空遊戲機

勇闖東方航線，
徵的就是你！
哥倫布船長在偉大的西班牙女王資助下，
即將展開往東方的偉大旅程，
船隊急需各種人材，桶匠、油漆匠、
補船匠及水手，共計九十名。
待遇從優，福利普通，歡迎報名。
名額多多，歡迎不怕髒、不怕苦、
不怕渴的你，加入我們的行列！


★額外獎勵★　哥倫布承諾：第一個發現陸地的人，給一年薪水獎勵！
歡迎世界各國（西班牙人，葡萄牙人，義大利人）工作船員夥伴應徵！

# 大航海時代的船隊生活

世界各國冒險家懷抱夢想，前往未知的航道航行，等待船員的是怎樣的航海生活呢？哥倫布船長提供一些生活資訊給大家參考：

- 船上有免費的醫生看診
- 每天一餐熟食，主食麵粉餅（裡頭附有免費的蛆和蟲）；配菜有水果，通常是柳橙、無花果與葡萄乾（無法保證一路新鮮），也有提供蔬菜（以洋蔥為主，同樣無法保證新鮮度）
- 有水（限量供應，極易發臭），有酒（歡迎以酒代水）
- 有鹹肉、醃肉以及新鮮鼠肉（需自行抓捕）
- 提供廁所與浴室（廣闊大海，就地解決）、床鋪（甲板角落任君挑選）
- 工作內容：按兩班輪流，每次四小時，負責把船底的漏水舀出去
- 洗衣服：恭喜，這次任務完全不必攜帶換洗衣服，因為沒地方晾
- 沐浴：甲板大澡堂，歡迎自己舀海水洗澡、洗頭
- 全體船員合計：九十人（分派至三艘船上工作）

# 5 哥倫布

這個戴著三角船長帽，穿著髒兮兮黑外套的男人，高頭大馬，紅紅愛睡的眼睛和老胡一樣，如果他把船長帽拿掉，再留起鬍子……

尤瑩嘉笑問：「老胡，你什麼時候把鬍子刮掉了？」

史強生也問：「你不是去夜市賣胡椒餅嗎？」

「什麼胡椒餅？胡椒能做成餅？」巨人瓜達拉停住笑聲，兩手一

伸：「向你隆重介紹，這是我們船長。」

水手們齊聲高呼：「正是專門騙西班牙女王，和可憐小水手的哥倫布船長。」

哥倫布好像習慣被水手嘲笑了，他揮揮手：「沒騙人，地球真的是個圓，跟我走，就能把它繞一圈。」

「騙子從不覺得自己是騙子。」矮子費南多說。

「就像酒鬼永遠不覺得自己會醉。」瓜達拉一說，大家又笑了。

這艘船上的人，好像特別愛笑。

有人喊：「船長又在做白日夢了。」

另一個人也喊：「他早上不是才做完夢嗎？」

「哇～船長破了自己的紀錄，一天做兩次白日夢。」瓜達拉和費南多把船長的手拉起來，朝著大家彎腰鞠了個紳士禮，正經八百的宣布：「好啦，白日夢結束，各人回到各自崗位，繼續無聊海上漂流第九十一日。」

於是，拉帆的拉帆，釣魚的釣魚，捲纜繩的捲纜繩，巨人瓜達拉更誇張，他坐下來，仰著頭張著嘴。

「你在做什麼？」尤瑩嘉問。

「船上的淡水都臭了，我等下雨。」巨人說得很認真，說完繼續張大嘴。

「你們太誇張了！」尤瑩嘉覺得他們是整人節目，只是找不到隱藏鏡頭在哪。

「地球是個圓，真理不用辯。」哥倫布站在船首，他用輪舵解釋：「我可以跟任何人打賭，往西能走到東方印度。」

費南多拉拉他的衣服，指著史強生：「船長，我們今天有『幻覺來賓』了，你確定要繼續騙人？」

哥倫布很激動：「我的話句句屬實。」

「我們出海九十一天了，」巨人瓜達拉站起來，伸個懶腰：「每天困在這麼小的一艘船上，肉吃光了，水也臭了，現在連老鼠都被我們吃完了，船長，什麼時候能到印度？」

「快了，快了。」哥倫布對自己的信心，似乎有些動搖。

「接下任務那天，你就這麼講了。」水手們搖搖頭：「現在已經超過九十天了，你還是這麼講。」

任務？

尤瑩嘉想起紙卡的任務：「富貴西印度，誠實新航路」，她知道富貴西印度指的是哥倫布的航行目標，那誠實新航路……

船長被大家取笑是個騙子。

他不誠實嗎？

他得誠實嗎？

她試探性的說：「船長，你要誠實才能完成任務啊。」

「其實他們不會到印度。」史強生把尤瑩嘉拉到一旁，小聲說：「他們看到的，會是……」

他還沒說完呢，整船水手都在歡呼。

是發現陸地了嗎？

不，是哥倫布在講話。

哥倫布清清喉嚨：「我要誠實的說。」

「才怪。」滿船水手喊。

「我看過一本書。」哥倫布激動了。

「該不會是《馬可．波羅遊記》？」史強生的聲音很小，哥倫布卻聽到了：「就是它，連我們幻覺產生的孩子都聽過這本書。」

史強生有點生氣：「我是歷史最強小學生，而且這本書亨利王子也說過。」

哥倫布的聲音都喊啞了：「《馬可．波羅遊記》裡寫得明明白白，東方有個古老的國家，那裡用黃金打造宮殿，白銀鋪出長橋，山上產香料，遍地都是胡椒、龍涎香，相信我，我會帶你們到那個地方。」

「果然是白日夢。」矮子費南多開心的說，「不知道為什麼，被他騙了這麼久，每次聽完，還是開心到想掉眼淚？」

「那還要幾天？」巨人瓜達拉一問，好像連海都安靜了。

不，海浪輕輕拍打平塔號。

連海都好像在問他：「還有幾天？」

「很快！」哥倫布說。

「這是天大的謊言。」矮子費南多大叫。

「我們已經聽了太多遍。」巨人瓜達拉搖頭。

「你什麼時候才會說實話？」滿船水手問。

尤瑩嘉腦海裡再次閃過任務卡上的話：「富貴西印度，誠實新航路」——哥倫布正在往西走，想完成任務，他必須「講實話」。

尤瑩嘉說：「到底還要多久？你真的知道嗎？」

「幻覺小女孩也開口了！」巨人瓜達拉把尤瑩嘉放在肩頭：「你要做個誠實的船長。」

「往西走，不回頭，我們會走到東邊的印度。」哥倫布退了一步。

史強生走到他面前：「你是船長，你有責任，誠實告訴大家。」

「幻覺小男孩再度開口了！」矮子費南多盯著哥倫布。

「還有……還有……」哥倫布眼睛瞪大了：「我們是有史以來，第一艘往西找東邊的船，我……不知道！」

「不知道？」有人哭了。

「我們死定了！」更多人跪倒在甲板上。

哥倫布舉著船長帽：「但是我發誓，我真的相信有這條航線，我相信我們一定找得到！我宣布，不管是誰，第一個看到陸地，他將有

一百枚金幣的獎金。」

水手們大叫：「一百枚？」

「讓他當總督。」

「不可能！」那群水手快要暴動了。

「我保證是真的。」哥倫布還補充：「他的名字將永遠留在史書上，因為他是第一個證明，朝西走，能走到東方的水手。」

「我相信你現在說的話，雖然還是像謊話。」巨人瓜達拉衝到桅杆，他的身子高，一拉繩子，人就爬上去了。

他快，矮子費南多更快，他踩在瓜達拉的肩

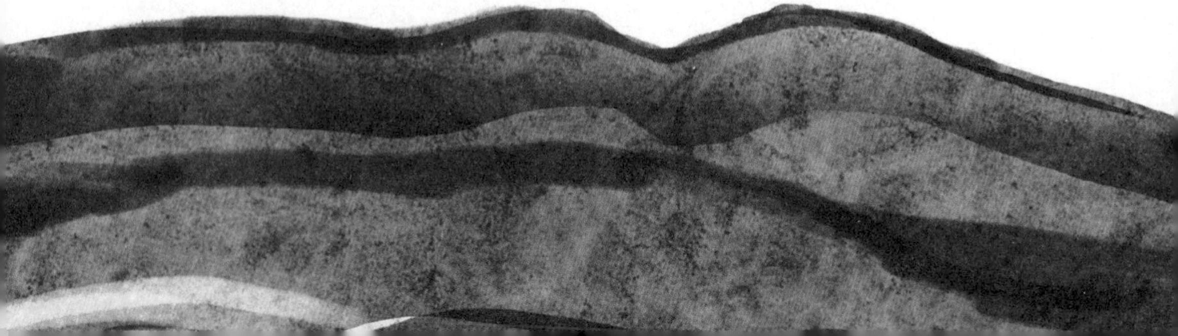

頭，攀上了瞭望臺。

「我們兄弟一起來，拿到金幣一人分一半。」

這種絕佳的默契，讓他們搶到先機，占到位置最高的瞭望臺。

少數的水手，搶到船首，他們把眼睛瞪得大大的，整艘船上幾十個人，有近百隻的眼睛：海浪的紋路，天空雲影的變化，這麼龐大的陣容，即使是千里外的小島，也逃脫不了水手們的視力搜索範圍。

天上沒有雲。陽光很熱。

尤瑩嘉雖然很想贏，但她也不想把皮膚晒黑，她坐在帆布陰影下，和史強生猜誰會先完成任務。

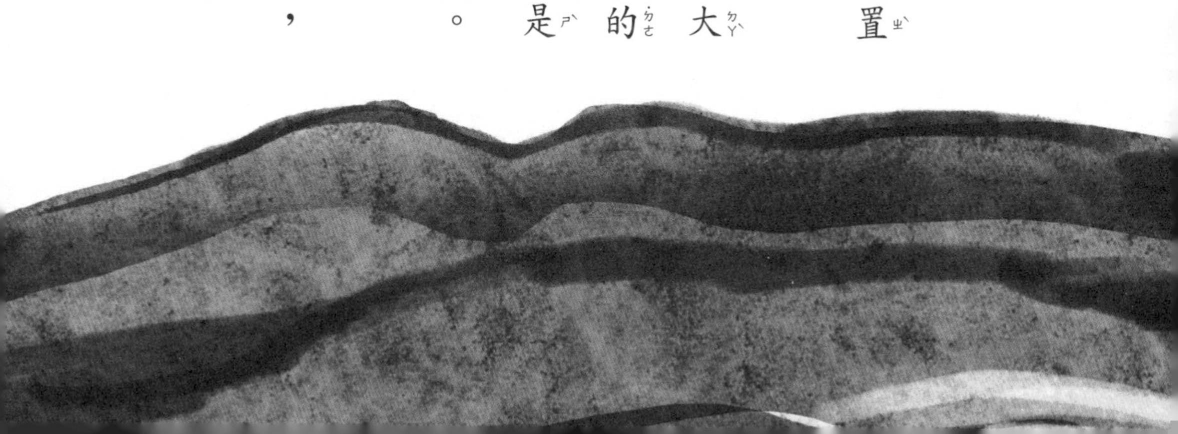

浪潮拍打船身，啪啪作響。

一條鯨魚，在很遠的地方噴水。

幾條海豚，跳起來，讓尤瑩嘉叫了一下。

十幾個水手累了，揉著眼睛坐下來。

瓜達拉的頭皮被太陽曬疼了，他溜下來。

最後，連費南多都放棄了。

「什麼都沒有。」

「看了九十天，沒有陸地。」

「這是一艘航向地獄的船！」水手們大喊的聲音，嚇得一隻鳥兒落在甲板上。

吱吱吱，那是一隻黃羽紅嘴的小鳥。

尤瑩嘉把手伸向牠，那隻鳥跳到她的手上，歪著頭，望著她。

「我沒有食物給你。」尤瑩嘉說，「這船上的水臭了，連老鼠都吃光了。」

「牠是一隻鳥。」史強生目瞪口呆：「一隻小小小小小鳥。」

小鳥跳到尤瑩嘉頭上了：「我當然知道牠是一隻小鳥。」

「牠和麻雀一樣大，不可能飛太遠，這說明一件事。」

「說明牠是一隻鳥？」尤瑩嘉問。

「牠的小翅膀飛不過大海。」史強生站起來，他發現前方出現了一塊極小的山頭：「陸地！」

矮子費南多一聽，像猴子一樣，他在地上翻了個筋斗，一溜煙就爬上瞭望臺：「瓜達拉，陸地！」

水手們尖叫著，瓜達拉拉著尤瑩嘉跳起舞來，他們經過哥倫布身旁時，他正激動的握拳大叫：「印度，印度，我終於發現印度了！」

「沒有，你並沒有『發現』，它本來就在那裡，而且那不……」史強生這個歷史最強的小學生，很想好好跟他討論，他沒有發現什麼印度，那片陸地也不是印度。

但是，史強生被矮子費南多推開了：「船長，我是第一個看見陸地的人，金幣應該給我。」

費南多忙著爭取權益，以致於史強生的下一句話：「那不是印度，那只是南美洲的小島……」，根本沒人聽清楚。

「水手們，船舵轉向陸地方向，我們要去印度啦！」哥倫布下達命令時，恰好一陣大風來，巨帆在風裡啪啦作響，這感覺好熟悉……

尤瑩嘉看著史強生，他也正回頭望著她。

「任務完成？」尤瑩嘉發不出聲音。

「我們真的在歷史的關鍵時刻，跟著他們發現了新大……」史強生大叫那一瞬間，船一個顛簸，他頭下腳上朝著海洋墜落，從船上掉下去的時間很短，但他還是看見，尤瑩嘉也掉落下來了。

嘩啦，他掉進水裡了，海水比想像中的溫暖，比想像中的清澈。清澈到他看見海裡出現了一張桌子，桌上有個遊戲板，遊戲板上還有艘船。

「不會吧？」他在水裡說著，但是，水裡怎麼能說話呢？

「我們又回來了。」他也聽見有人在說話，這下他更糊塗了，水裡怎麼能聽得到聲音？

# 6 達伽馬指揮官

史強生有點迷糊。

才一眨眼的時間，可能小學又發揮不可能的功力。

「再度神奇桌遊社！」尤瑩嘉說，「我們又回來了，就像遇到海怪那次。」他們落了水，衣服卻沒溼！

神奇的還有牆上的時鐘。四點十一分，也就是說，他們跟著哥倫

布發現新大陸，來回只用掉一分鐘。

「在可能小學裡，沒有不可能的事。」尤瑩嘉站起來，頭有點暈暈的，待在船上太久，搖晃感還在，這個好強的小女孩還是想站起來，上一張任務卡有浮現一行字：完成任務，前進五格。

五格，陽光美好，沒有任何事發生。

史強生拿起骰子，觀察一下遊戲板：「再來會到哪裡去呢？」

骰子在遊戲板上滾了好幾圈，最後落在「18」。

他們真心不想再去休息站，遇到大海怪太可怕了，他小心翼翼往前數了十八格。

是任務！翻任務卡時，那隆隆隆的火車聲又響了，這應該是在換場景了吧？史強生仔細看看任務卡，一邊畫了艘大船，是聖瑪利亞號，船首有個頭髮像蛇的女人雕像。

他把卡片上另一頭標示的字念出來：

達伽馬，是歐洲第一個率領艦隊航行至印度的航海家。西元一四九八年他經過好望角、非洲東岸，抵達印度西南岸，但是，他在印度要與穆斯林的商人爭奪航線，他能獲勝嗎？請先完成以下任務：「繞角新航線，上天找出路。」

「繞什麼角？上天又怎麼找到出路？」尤瑩嘉不懂。

「我記得前面幾張卡，前一句是和人有關，後一句是闖關的方法。」史強生根據之前經驗判斷。

史強生正說話，頭頂的燈閃了閃，又熄了。

隆隆隆隆的聲音大起來，地板輕輕搖動，滋啦，光線適時的回來了，原本的窗變成圓型，就像船艙。

砰！砰！砰！一陣緩慢謹慎的敲門聲。

史強生小心的把門拉開。沒錯，門又能開了。

門外是個沒見過的黑皮膚外國人，穿著緊身制服，像個軍人。

「達伽馬總司令有工作要交給你們。」

「工作？我們只是學生。」尤瑩嘉的疑問，那人沒回答，調頭就走。他們走到甲板上，沒錯，他們又到了另一艘船上了。

「這一定是聖瑪利亞號，達伽馬的船。」卡片上有提到。史強生想去船首，看那個頭髮像蛇的女人雕像。這艘船和哥倫布的船明顯不同，船艙更寬敞，不變的還是髒臭和海腥味，以前的水手真的很辛苦，史強生跟爸媽坐過郵輪，乾淨清爽、食物豐盛，不像這種船……

「快！」那人催著。

他們低頭看看自己，服裝果然又變了。史強生穿著無袖上衣，尤瑩嘉的打扮和男生差不多，只是多了袖子。

「可能小學的任務。」尤瑩嘉輕輕的說，她內心充滿自信，她摸清楚遊戲規則，她就有把握能搶得先機、贏得勝利。甲板上的空氣潮溼炎熱，與海岸平行的山巒躲在雲層裡，大雨似乎隨時會下來，甲板上幾十個水手，人群中間那人身材魁梧，簡直就像……

「老胡？」

他看起來真的像老胡，寬闊的肩膀，高壯的身材，除了鬍子長得像亂草般，頭髮不知哪時候染紅了，但是她認得出來，老胡的紅眼，是被烤胡椒餅的煙薰過的。

既然他們能在大航海時代穿梭，老胡跟著來，有什麼不可以？

「達伽馬總司令，兩個小孩帶來了。」帶他們來的人說。

「保羅！」達伽馬的聲音低沉：「我上岸後，把船開遠一點，備好火炮，準備隨時交戰。」

「總司令，您上岸的風險太高了。」保羅好像很不放心。

達伽馬看著他：「我擔任國王的使臣，就要負起我的責任。你們兩個抬箱子，跟我來。」

後面那句話，是對尤瑩嘉和史強生說的。

箱子不重，史強生一個人拿也沒問題。他看看左右，發現這是一支三艘帆船的船隊，白帆上的十字架他見過。

「葡萄牙人的。」尤瑩嘉也想起來，亨利王子的船就長這樣子，所以，「我們是回到亨利王子時代嗎？」

「不，他們差了幾十年，剛才卡片上有寫，達伽馬是一四九八年來印度。」說到歷史，史強生信心十足，他很高興自己能參與歷史上發生的片刻。

他們抬著箱子，跟著達伽馬跳上小船。尤瑩嘉想快速通關，擅長玩桌遊的人，總會在遊戲裡，找出對手的漏洞。她很專心研究老胡，不對，眼前的人是達伽馬。

達伽馬不管從哪個角度看，舉止、神情，勇敢堅毅都像個飽經沙場的指揮官，和學生餐廳賣胡椒餅的老胡，完全不同。

「如果是老胡的話，他也太會演戲了。」尤瑩嘉自言自語。

史強生在觀察，小船上有樂手，有士兵，他們神色緊張，盯著岸上。岸邊很多人，男人留著大鬍子和長頭髮，戴著金光閃閃的耳環，許多人上半身赤裸，手裡的劍閃閃發光。

小船一靠岸，有個穿著黑色長袍的男人吼著：「讓魔鬼把你們統統都抓走！誰帶你們來的？」

達伽馬鎮定的說：「我是葡萄牙國王的使臣，奉命尋找香料和基督徒。」

「我伊塔布在這裡做生意多年，廣州、日本或麻六甲都有船來，從來沒聽過葡萄牙的船能到這裡，尤其現在是雨季，怎麼會有遠洋來的船？」伊塔布說到這裡，向身旁的胖子說：「總督，您千萬別被他騙了。」

那個總督，像個暴發戶，全身上下掛滿金飾。

「我是總督，怎麼會受騙？」胖子很生氣，問達伽馬：「你們來印度，想做什麼？」

「我奉葡萄牙王的命令，來見你們的國王。」達伽馬腰桿很直。

「國王能隨便見的嗎？」伊塔布朝總督擠眉弄眼：「大人，您把他們踢回海上，印度的生意，我們穆斯林就能包辦，只要您點頭，我的手下可以效勞。」

「我有葡萄牙國王親筆寫的國書！」達伽馬不卑不亢的說。

「有國書啊……」胖子總督沉思。

伊塔布質疑：「國書？那也可能是假的！」

「真的假的，讓國王判斷啊。」尤瑩嘉插完嘴，總督像鬆了一口氣：「沒錯，札木林國王是上天的兒子，他一眼就能看出真假，如果是假貨……哼哼哼……」

胖子總督招手，兩頂配著雨傘的轎子過來了。

胖總督坐上去，他示意達伽馬也坐。一頂轎子，六個轎夫抬，轎夫腳程快，尤瑩嘉和史強生得小跑步才跟得上。

這是條爛泥巴路，尤瑩嘉的鞋子很快就變髒變溼，沿路還要聽伊塔布嘮叨。

「總督大人，你別被那個葡萄牙人騙了！」

「葡萄牙船那麼小，怎麼可能安全度過這麼大的海洋？」

轎子上的達伽馬，輕鬆的說：

「你就像隻蝦蟆，只待在井底下，沒見過世界有多大！」

「世界……」伊塔布想說，「我……」

尤瑩嘉笑了出來，因為伊塔布張口結舌，好半天都說不出話來。

再往前，有河流擋住去路。他們停下來，搭船渡河。閒人很多，棕櫚樹下聚滿看熱鬧的人，有的人划著船，載著全家大小跟著他們，士兵想把他們趕走，他們也不肯退去。

下船之後，路邊的屋子多了，女人抱著孩子跑出來，許多小孩赤裸著身體，不但跟著他們走，還會偷摸尤瑩嘉。

「不要摸我！」她生氣，那群孩子卻笑得很開心。

「沒禮貌的小孩。」有更多孩子過來，只要她一不注意，就有人要摸她、拍她，尤瑩嘉不好惹，他們敢偷摸她，她就拍回去，無趣的路程，她卻變得好開心，一路咯咯咯的笑。

轎子進了城，路旁是數不清的商店，貨物繁多，種類古怪：大大小小的籠子，關著各式各樣的動物，低矮的屋前，堆滿了燕麥、核桃、檸檬，還有數量驚人的魚。各種香料散發刺鼻的味道，有胡椒、肉桂，但這麼多的氣味混雜，只引得他們猛打噴嚏。

這裡的交通工具也很多元，獨輪車與牛馬、轎子交錯。街道上擠滿人，屋頂、圍牆上也都是人，總督催促，士兵鞭打，總有趕不完的看熱鬧的人，達伽馬的樂手趁機表現，樂器一演奏，人潮更多了。

最後，達伽馬示意，士兵開了幾槍，終於嚇退人群，總督也跌到轎子下，他被人扶起來，老半天才回神：「皇宮到了。」

# 7 繞角新航線，上天找出路

皇宮很寬闊，這頭望不到那頭，只是廣場很髒，全是黃泥沙，幾條牛就這樣大剌剌的躺臥在地上，也沒人趕。

皇宮裡有條長廊，四周種滿了花，幾個地方看起來像雜草。

大廳有三層樓高，地上是石板，磨得發亮，綠色地毯上，有一圈高高的座椅，牆壁上掛著五顏六色的絲織品，圖案滿滿的印度色彩：

大象、公牛或各種奇妙的人像。

走進大廳，所有人都被震懾到不敢大聲說話，總督示意大家，那個戴著寶石帽子，坐在中間，椅子大得像張床的人，就是這裡的札木林國王。

國王又老又高，但是他比總督更像個黃金展示櫃，從王冠、項鍊、戒指、手環到腳鍊，或許戴這麼多黃金太重了，所以他只能斜躺在椅子上，客人來了，也不站起來。

國王旁邊有個侍女，她端著金壺，國王每隔一陣子，就吐一口什麼到壺裡。

「是血！」葡萄牙人低聲的說。

「他一定生了重病。」葡萄牙人胡亂猜。

史強生踮起腳尖看到：

「那是檳榔。」

達伽馬走到國王面前，行了個禮：「偉大的國王，我們航行四千里，代表葡萄牙國王，來到您面前。」

伊塔布也走向前：「國王，我懷疑他們是海盜，葡萄牙人不可能搭船來。」

「那是我繞過好望角，找到的新航路。」

叮咚叮咚，一個聲音在史強生心裡響起，卡片上的任務，繞角新航路，果然是指達伽馬。

他看看尤瑩嘉，她點點頭，她也知道了，現在只要找到什麼上天找出路，就能過關了。

「只是要我們上哪個天呀？」尤瑩嘉眼珠子四周轉了轉，不知道怎麼爬上天。

大廳裡，達伽馬呈上去一封信：「這是葡萄牙王的國書，信裡是對您的祝福。」

達伽馬跟老胡一樣，說話喜歡押韻，他恭敬的呈上信，然而，國王讀不懂，他皺著眉頭抖了抖信，口齒不清的問：「利物呢？」

「利物？」達伽馬沒聽清楚。

「禮物，」國王憤怒的把國書扔到地上：「你們跑那麼遠來看我，沒有帶禮物來看我嗎？」

「禮物，當然有，我們當然有帶來啊，」達伽馬讓史強生和尤瑩嘉把箱子放下：「葡萄牙王的禮物，我們一路小心呵護！」

「我們抬的，原來這是禮物啊。」尤瑩嘉好奇極了，遠渡重洋的禮物，是什麼奇珍異寶？

打開箱蓋，裡頭有四個銅鈴，十幾顆彈珠，三、四塊花布，還有幾件襯衫，襯衫看起來像二手貨。

「你們說這是禮物？」伊塔布笑了。

「這是什麼低劣人物穿過的衣服，」國王的臉漲得紅通通：「騙子！這是對我最大的侮辱！」

達伽馬急解釋：「國王請別怒，我們船隊只是來探查航路，路程太遠，沒帶太多禮物，下回登陸，絕對會帶來您想要的禮物。」

伊塔布更開心了，他在旁邊搧風點火：「現在是雨季，誰會在雨季冒險駕船？只有你們這種騙子、海盜，還拿這些可笑的劣質物品出來，以為國王會輕易上當。」

「我們是先鋒船隊，不能帶太多累贅。」達伽馬說。

但國王像個要不到糖果的孩子，狂怒的吼：「押下去！」

士兵凶巴巴的，把他們趕進一間小屋，砰的一聲，門關了，還從外頭上了鎖。

門一關，頭頂傳來一聲暴雷。

「啊！」史強生大叫一聲：「我怕打雷。」

隨著雷聲的，還有豆大的雨，屋頂啪啪作響。

「雨季，伊塔布說過了。」尤瑩嘉很樂觀：

「我們很幸運，現在是在屋裡，沒被雨淋。」

達伽馬沒他們樂觀，他來回踱步，自言自語著。

「都是伊塔布，這個可惡至極的穆斯林。」

「他為什麼這樣討人厭啊？」史強生也不喜歡他。

「穆斯林的商人想控制印度洋航線，貨物必須透過他們才能賣到歐洲。」達伽馬激動的說：「我們繞過非洲好望角到印度，這條航線打破了他們壟斷的局面，他當然生氣。」

一屋子的人，全望著達伽馬，他走來走去，很著急。

史強生打量這間屋子，他們二十幾個人關在裡頭，潮溼悶熱的空氣，讓人喘不過氣來，就算接近天花板的地方有通氣孔也沒用。

通氣孔？他多瞄了一眼。那個通氣孔很小，如果能爬上去，再鑽出去……

爬上去？爬上去！

叮咚，他跳了起來，拉著尤瑩嘉：「上天找出路，上天找出路。」

「你瘋了啊？」尤瑩嘉甩開他的手，史強生指著上頭：「你如果能爬出去，從外面把門打開，這不就是完成卡片上的任務了嗎？」

「我怎麼爬得上去啦？」

個子最高的達伽馬走過來：「你踩在我肩上。」

「一定要出去嗎？」

「不出去，大家都困在這裡，是死路。」達伽馬說。

一屋子的人，樂手太胖，士兵太壯，那個通氣孔連史強生也過不去，看來看去，只有她能鑽過去，而且如果她不去，這遊戲就過不了關了嘛！

想到要過關，尤瑩嘉立刻信心百倍，因為她就是想贏：「那就我來吧！」

「你要小心！」史強生很想代替她，但是洞口只容納得下一個小女孩。

「放心！」為了贏，她踩上達伽馬的肩，再踩上他的手，達伽馬的個子真的很高，她攀到通氣孔，用力把自己舉上去，鑽過去。有一瞬間，她很自豪，因為她竟然踩在赫赫有名的達伽馬肩上。

外頭是瘋狂的大雨。

她又興奮又害怕，不到一秒鐘，全身都溼透了。

到了這時，沒回頭路，只能勇往直前了。

「我一定行的！」這個堅強的女孩，鼓起勇氣跳下去，那是一片柔軟的草地，她趴在地上，豪雨打在她身上，她等了一下，轉角有兩個衛兵，不過他們全待在乾爽的屋裡，她矮著身子，提心吊膽的經過他們的窗戶下。

「這是可能小學的任務，我絕對不會有事的。」

那如果有事呢？

小心小心，謹慎謹慎。

屋裡的衛兵好像講了什麼，一個衛兵探出頭來，她急忙躲進牆角動也不動，幸好，衛兵很快把頭縮回去。

尤瑩嘉摸著牆，一步一步的往前走，雨這麼大，沒人出來，門上掛著鎖。

她又回到衛兵房，那兩個衛兵站還在亮光處聊天，兩個人笑笑鬧鬧，根本沒注意到，有一隻小手趁著轟轟雷雨聲，把椅子上的鑰匙勾走了。

她一把一把試，直到卡的一聲，鎖彈開了。門被她無聲的推開，達伽馬給她一個讚賞的微笑，回頭，接著命令大家悄悄出來。

樂手抱緊樂器，士兵緊抓武器，所有的人低頭快步，在傾盆大雨中，跳上來時的小船，然後十幾枝槳，拚命的划。

史強生對尤瑩嘉佩服到五體投地：「難怪你能當社長，你真是太帥了。」

「我一直都記得任務。」直到這會兒，尤瑩嘉不知道是冷還是怕，全身止不住顫抖著。

岸上一陣吵雜，告急的鑼聲，雨中的火光，他們跑掉的事被守衛發現了。

小船划回聖瑪利亞號，保羅早等在船邊接應他們，達伽馬上了船，不慌不亂，他交代：「船首調頭，船炮預備。」

三艘帆船同時轉向，船側的窗口被推開了，露出一整排黑黝黝的火炮。

對岸划出許多小船，那些船體積小，速度快，很快就把雙方的距離拉近了。

尤瑩嘉看見，伊塔布正指揮小船包圍他們，對方的船有幾十艘，達伽馬的船大、動作慢，看起來岌岌可危。

達伽馬沉著的站在船側，看著伊塔布的船，一點一點的接近。

「我們逃不掉了。」史強生說時，咻咻咻，幾顆子彈射中葡萄牙人的船，嚇得史強生大叫：「指揮官，怎麼辦？」

老胡，不，是長得像老胡的達伽馬，回頭朝他笑了笑，那笑容讓人安心，即使他們的船隻有個地方著火了，火勢猛烈，葡萄牙水手們正忙著救火。

火光中，達伽馬手一揚：「發射！」

轟隆轟隆，同時間，三艘大船開炮了。

砰砰砰砰。追得較近的船，有的沉了，有的傾斜了，有的冒著大火，伊塔布的船被炸出一個大洞，他好像在船上尖叫。

第二輪炮彈擊出後，對面十幾艘船半浮半沉，但還有更多小船接近中。

他們也有槍，好像無數小紅花，射在木船上，啪啪啪啪的響，有幾發掠過史強生頭上，他和尤瑩嘉蹲低身子，一面帆布掉落，差點砸中他們，幸好史強生號稱體育最強小學生，反應快，動作靈活，拉著尤瑩嘉躲進船艙。

他們剛把門關起來，船身一陣劇烈搖晃。巨大的爆炸聲，熾熱的狂風，史強生張著嘴，好像在吼什麼，但她聽不清。

「你到底說什麼？」她大叫，卻連自己也聽不到自己說什麼。

驀然，全宇宙的聲音，好像就這麼消失了，只剩下史強生乾乾淨淨的聲音。

「輪到你了？」

# 8 麥哲倫不是企鵝

強勁的風雨。

炮彈炸裂船體的聲響。

這麼慌亂緊急的時刻，尤瑩嘉卻聽見一個乾乾淨淨的聲音，又問了一次：「該輪到你了？」

她遲疑的張開眼睛：

狂嘯的海風？搖晃的船隻？呼嘯而過的炮彈？

一切都消失不見了。

他們又好端端的待在再度神奇桌遊社裡，牆上的電子鐘寂寞的一閃一閃，地板牢牢的撐住他們，天花板那盞聚光燈，彷彿上帝的眼睛，正冷冷的望著她。

穿著可能小學藍金色制服的史強生，他又問了尤瑩嘉：「是不是該輪到你了？」

「我？」尤瑩嘉好半天才回神：「天啊，這也太刺激了，我們剛剛在打仗！」

遊戲還沒結束，船艙受損，要不是達伽馬最後把他們推下來，他們還留在原地。

「該換你擲了。」史強生搖搖頭：「幸好我們不必留下來，水裡來火裡去的，真可怕！」

上一趟任務完成，可以往前挪兩格。

兩個人都很擔心，害怕又是什麼休息站或是刺激的支線任務。

幸好，是個空格，只有海天一色的圓圈，真的是沒事。

尤瑩嘉數地圖格子，離出口只差十八格。

「如果又擲出『18』，我們就過關了！」

「你想要一次過關？還是……可以晚點結束？」史強生竟然有點依依不捨。

想起這次的「課程」跟別人穿越的都不一樣，尤瑩嘉這種桌遊咖竟脫口而出：「我只想早點『下課』！」

這句話出自尤瑩嘉的口，還真是不容易！

尤瑩嘉把骰子一扔，它在桌上滾了滾，最後滾出來的是「15」。

隆隆隆隆，那聲音又出現了。

可能小學大概又在換背景了。

尤瑩嘉拿著小船往前移，不是任務，是個海浪條紋，上面有三角型的圖案。

「我有不祥的預感。」尤瑩嘉說話時，地板在搖晃。

「難道我們又回到船上了？」史強生看看地上：「尤瑩嘉……地板漏水了。」

他們衝到門邊，門可以拉開了，但外頭水天相連。什麼時候，桌遊社社辦竟然漂浮在海面，四周有不少大魚在游。

「原來那格子裡，曲線就是海，三角型的東西是魚鰭。」尤瑩嘉覺得好佩服自己，這麼快就看出圖畫的意思。

「問題是，屋子快沉下去了，你說的魚……」史強生驚恐的看著她，然後尖叫：「是鯊魚。」

「現在怎麼辦？」

「我不知道。」史強生大叫。

他們才回屋子裡轉一圈，水已經淹上他們的腳踝，而且，木屋被什麼撞擊了一下，尤瑩嘉沒站好，跌到地上，身體溼了大半。

「鯊魚在咬屋子！」尤瑩嘉溼淋淋的跑到門口，另一條鯊魚也在撞屋子了，這麼薄弱的木板，不知道能撐多久？

「那裡！那裡有座島！」史強生大叫。

尤瑩嘉也看見了，離他們不遠的地方，有座很小的島。

「我們只要把屋子划過去……而且要趕在屋子沉沒和被鯊魚咬破之前。」

「怎麼划？」

史強生看看屋子：「我們把窗子折了當槳，快！」

窗戶很好折，大小也很適合當成槳。

有條鯊魚像是知道他們的企圖，朝他們衝來。尤瑩嘉拿起窗框，用力一敲，就把鯊魚敲退了：「這回遊戲，我要贏！」

對，她是什麼都想贏的小女孩，即使她手很瘦，她還是不停的划水、敲鯊魚，敲鯊魚、划水。

島越來越近了，眼看就快要划到岸上了，屋子被幾條鯊魚一撞，大半都沉進水裡。

「到底該怎麼辦？」尤瑩嘉嚇傻了，但史強生可沒有，他拉著尤瑩嘉用力一躍，就跳上了岸，尤瑩嘉不忘把手上那條從窗戶拆下來的邊條，丟進一條猛追不捨的鯊魚嘴裡。

兩個人剛站到岸上，那間小木屋在十幾條瘋狂鯊魚攻擊下，沉入水裡。

「我就說啊，這種沒任務的休息站最可怕。」尤瑩嘉皺著眉，往島上多走了幾步，她擔心鯊魚會跳上岸。

這座島看起來比教室還小，沒有樹，很平坦，島中間有棟小木屋，那樣式和他們剛才離開的一模一樣。

「真不知道是哪個沒品味的桌遊設計師……」尤瑩嘉說：「畫屋子，至少也要有點個性啊！」

她搖搖頭，和史強生打開門，走進去。

咦？他們又回到了再度神奇桌遊社。

門一闔上，又打不開了。

「你只要擲出『3』，遊戲就結束了。」史強生聽完，把骰子一扔，它們在遊戲板上滾，很可惜，骰子滾出了「7」，但到目的地只要三格，所以他們還得再退回四格。

哦！是任務。

上頭畫著維多利亞號，那艘船畫在雪白的岸邊。

任務卡上面還有文字。

一五一九年，麥哲倫率領五艘船組成的船隊，由西班牙出發，完成人類歷史上第一次環球航海偉大成就。只是想環球大航海，請先完成任務：「航球繞一圈，平叛擒王先。」

史強生知道麥哲倫：「他幫太平洋命名，卻在菲律賓喪生，是他的部下把船開回來，所以航球繞一圈，指的是麥哲倫。」

歷史最強小學生，適時提供答案。

「那什麼是『平叛擒王先』？」尤瑩嘉問時，一陣雷聲，從遠遠的地方傳來，聚光燈跳了一下電，室內的溫度急速往下降。

冷，好冷。

「現在是我心理因素，還是溫度真的很低？」史強生忍不住搓搓手，呵出一口白煙。

「真的好冷。」尤瑩嘉渾身發抖。溫度突然這麼低，桌遊又把他們帶進一個奇妙的時空，只是他們的衣服……

和前幾次一樣，他們變裝了。

史強生的衣服又髒又臭，尤瑩嘉也差不多。

屋子搖搖晃晃，他們又到了船上，這種搖擺他習慣了，玩過幾次穿越，史強生覺得自己都快變成水手了。

窗外天寒地凍，雪地上有一群黑色的鳥在動。

「企鵝！」尤瑩嘉大叫：「好可愛的企鵝。」

另一邊，有群人大叫：「是好好吃的鳥！」

那些男人蓬頭垢首。他們打量屋子，不知道什麼時候，桌遊社變成一個長型的空間，物品凌亂，那群人窩在一起，不仔細看，尤瑩嘉以為那是一團會動的棉被。

或許是天氣冷得讓人失去知覺和思考能力，船艙裡多了兩個小孩，這些人似乎毫不在意。

「等到天氣放晴，再去抓幾隻回來。」

「這回要用烤的。」

「燉的也不錯。」

尤瑩嘉的眼睛瞪得大大的：「你們吃企鵝？」

「牠們是傻鳥。」那個男人說：「又肥又嫩的傻鳥。」

「傻鳥給傻水手吃。」所有的水手很有默契的吼著：「傻水手向前游，游到冰海不回頭。」

船艙裡傳來一陣哄堂大笑，尤瑩嘉氣得跑到甲板上。

哇！這是他們玩遊戲以來，搭過最大的船，它有好幾間教室長，三根巨大的桅杆光禿禿的，帆應該是收起來了，附近還有四艘船，靜靜停泊在海灣。

冷冽的強風，天地寬闊，積雪壓著黑色岩石，數不清的企鵝，搖搖擺擺的就在雪地上活動。

「他們竟然要吃可愛的企鵝！」尤瑩嘉仍然忿忿不平。

「那是麥哲倫企鵝。」

「麥哲倫不是人嗎？怎麼變成企鵝了？」

史強生曾在一個旅遊節目看過：「麥哲倫最先發現牠們，用他的名字命名。你不回船艙嗎？那裡比較溫暖。」

「我才不跟殺害企鵝的『凶手』待在一起。」尤瑩嘉的怒火在燃燒，她的聲音太大了，嚇得對岸的企鵝往海裡跳。

噗通噗通，雖然距離遠，史強生卻彷彿聽見企鵝落水的聲音。笨拙的企鵝，掉進水中，立刻靈活起來，牠們快速游過船底，轉個彎，又游回岬灣，一隻隻跳上岸，看著幾艘小船划過來。

「喂……」史強生朝他們揮揮手。

最前面的小船上，有個光頭眼罩男，他點點頭算是致意。

划著划著，小船划到大船邊，幾條帶鐵爪的繩子拋上

來，史強生幫忙，他拉住帶頭的眼罩男，沒想到眼罩男轉身抓著他，伸手又把尤瑩嘉也制住了。

「海盜？」

史強生在電影裡看過這種場面。他想警告船上的人，但這群海盜動作更快，他們拿著槍，把船艙裡的人趕出來。

「麥哲倫，你說的航線到底在哪裡？」眼罩男大吼。尤瑩嘉覺得很好奇，她偷偷問史強生：「麥哲倫不是你剛剛說的企鵝嗎？他跟企鵝講話？」

史強生可沒空理她，因為他滿腦子都想著：可以親眼見到麥哲倫，這是多大的榮幸啊！

被圍住的水手中，有個身材高大的人，一跛一跛走出來，他應該就是麥哲倫了，臉上鬍子不知道多久沒刮，但面對海盜毫無懼色。

麥哲倫的事，史強生知道不少，爸爸曾買了一套航海王的書給他，其中就有麥哲倫。這次遊戲中的那些人物的傳記他都讀過，只是沒人像麥哲倫讓他印象如此深刻，因為他是個瘸子，是他年輕時擔任葡萄牙軍官作戰而留下的傷。

麥哲倫雖然走路一瘸一瘸的，但腰桿始終挺得很直，幾個海盜故意伸手推他，他踉蹌了一下，卻還是不卑不亢。

「穿越大陸的航線在哪裡？」眼罩男又問了一次。

「老賈啊，你說的航線，就在我們面前。」原來麥哲倫認識這群海盜？

「騙子！我們跟著你航行一年多，根本找不到路能穿越這塊大陸。」老賈的話，讓史強生一愣，原來他們是麥哲倫的手下。

「這是叛變，『平叛擒王先！』」尤瑩嘉在他旁邊小聲提醒：「任務卡上有寫。」

史強生看著甲板，老賈帶來的水手正在大叫：

「證據，證據，證據。」

「證據，證據，證據。」

「新航線的證據在哪裡？」

麥哲倫停下腳步：「所有的探險，都要經過考驗，沒有任何風險，那不叫冒險。」尤瑩嘉望著麥哲倫，驚訝他怎麼也愛念饒舌？

「兄弟們只對發財有興趣，你拿不出證據，我們會把你丟進海裡餵魚。」

麥哲倫不為所動：「我有航線圖，照著圖走別怕苦，很快找到新出路。」

「你說的航線究竟在哪裡？」老賈激動的說：「這一路上我們找過多少河口？」

「數不清！」所有的水手大叫。

「哪一條能通過南美洲？」

「沒有！」

「一年來，三十幾個兄弟因此喪命，你還要犧牲多少人命才肯放棄這種幻想？」

「放棄只有兩個字，堅持要更多勇氣，」麥哲倫兩眼炯炯有神：

「小艇探路的兄弟，很快會帶回來好消息。」

咦？麥哲倫的話，怎麼越聽越像某人？

史強生和尤瑩嘉不約而同想到一個人——老胡。

只是現在，老胡應該還在夜市賣胡椒餅啊。

老賈的槍抵著麥哲倫的頭：「你的航線呢？拿出來給大家看看，如果沒有，我一槍斃了你，把你踢到海裡，我們就可以不用在這裡吃傻鳥。」

「那是企鵝。」尤瑩嘉很生氣：「企鵝是保育類的動物。」

老賈不理她，只忙著說：「維多利亞號的兄弟們，你們想繼續跟著這個葡萄牙騙子，還是加入我們的行列，解除他的指揮權？」

老賈一說，麥哲倫身邊的水手們相互看了看，走了一大半。

# 9 相信，才能找到

老賈狂吼：「航海圖在哪裡？」

尤瑩嘉跟著說：「你快說吧，我的手被綁得好疼。」

「小姑娘手疼了，」水手們都笑了：「你快說吧。」

麥哲倫微笑的看看她：「我躲進皇宮圖書館，花了三個月的時間，找到一條穿越大陸的航線。」

「為什麼我們找不到？」水手們追問。

「不在書上，」麥哲倫說：「不在地圖上，祕密藏在地球儀上。」

「地球儀？」

麥哲倫解釋：「那是製圖大師馬丁．倍海姆親手做的地球儀，上頭註明了一條穿越南美洲大陸的通道。」

「真的有通道啊？」

麥哲倫在眾人的歡呼聲中，緩緩的點頭，幾個水手開心的衝上前，想幫他把繩子解開，老賈踢開他們：「你說的那個什麼『陪阿母』大師，他有走過這條航道？」

這一問，提醒大家：「對啊，他自己走過嗎？」

眾人望著麥哲倫，麥哲倫笑了笑：

「葡萄牙三歲的孩子都知道，倍海姆一上船就會軟腳！」

老賈扯著麥哲倫：「大師會暈船，根本沒來過，你怎麼會相信？」

「從地球儀來看，這麼長的陸地，應該有條通道能穿越過去。」

眾人激動的說：「我們找了一年，根本找不到。」

「我還有證據，我在皇家書庫裡的航海日誌看過，有個船長記錄過這條通道。」

「船長？」

「聖母瑪莉亞！真的有通道！」

眾水手手舞足蹈，老賈冷冷的問：「他的船曾經過通道？」

全場一片寂靜，所有人都期盼麥哲倫能點個頭。風，嗖嗖的吹過來。

「沒有！」麥哲倫的話一出口，全場譁然，但是他還是在吵雜的人聲裡把話說完：「他說他看見有個通道嘛，他判斷應該有，所以我也想知道有沒有！」

有個水手狂呼：「根本就沒有！你這個騙子！你還有什麼話說？」

其他水手大叫：「把他丟進海裡餵魚。」

「麥哲倫，既然眾望所歸，我也只好說聲對不起了。」老賈故意裝得很為難，他還回頭問其他人：「有沒有人也相信這葡萄牙騙子的話？歡迎陪他去餵魚。」

海風呼呼，一隻被綁著的小手舉得高高的：「我！我相信他。」

「我也相信他。」史強生知道麥哲倫會帶大家找到出口。

「可憐。」老賈搖著頭；「堂堂西班牙國王任命的艦隊指揮官，只剩兩個小孩相信他。」

哈哈哈哈，水手們的笑聲，比浪潮聲更大。

史強生知道麥哲倫的豐功偉業，卻不知道他要面對的懷疑、叛變、痛苦與孤獨是這麼的巨大，這是歷史關鍵的一刻，如果有可能，他能扭轉一點點的可能……於是，他在大家的嘲諷中，勇敢走到麥哲倫面前：「先生，不管別人怎麼說，我都相信你。」

麥哲倫微笑著：「這是幻覺嗎？我們之前沒見過面吧？」

「我相信你，你不能死，你還沒環繞地球一圈不是嗎？」

「繞地球一圈？等一下我變成了魚，環繞地球就花不了多少時間了。」這麼危險的時刻，麥哲倫竟然還有幽默感。

老賈大叫：「依據西班牙國王給我的權力，我現在解除你的指揮官職務。有人反對嗎？」

「我！」尤瑩嘉把手舉得高高的。

「依據水手法則，當指揮官的命令危害眾人性命時，必須處以墜海之刑！」

「墜海之刑？」

「墜海之刑！」幾個人叫了起來，不少人在鼓掌，船邊伸出一塊板子，麥哲倫的雙眼被矇上黑布，雙手反綁，推到船邊。

「用海水洗清你的過錯。」

「讓大魚吞掉你的謊言。」

「太殘忍了。」尤瑩嘉攔在最前面，老賈推開她，用槍抵著麥哲倫，逼著他爬到板子上，史強生想救麥哲倫，但水手們架著他，他也動彈不得。

陽光露臉了，恰好照在木板上，麥哲倫一跛一跛的，隨時都有可能掉下去，他依然堅持：「我相信，有通道的。」

他走到了板子上，底下是深不可測的大海。史強生望著他，望著海灣，歷史記載錯了嗎？如果麥哲倫在這裡喪命，他怎麼找到通道，還幫太平洋命名？

「這不可能吧？」

然後，他就看見了，剛才被麥哲倫的身體擋到，現在他真的看見了。海灣被山岬遮住的地方，有艘小船划了過來。

「真的是船！」史強生大叫著。

「船？」幾個水手跟著大叫：「去探路的人回來了。」

小船上，十幾個人揮舞著旗子，他們的聲音吵雜，但漸漸的趨於整齊：「船長，我們找到通道了！」

「什麼？」

小船上眾人神色喜悅，齊聲喊著：「真的有通道！」

「我們找到通道了！」

登時，大船這邊像點燃了火藥庫，天寒地凍中，全部的人發出各種快樂的尖叫，相互抱擁著又叫又跳。

只見老賈揮著槍衝上前：「他不是指揮官了，大家快把他處死。」

一切都是老賈在作怪，都是他帶頭，「平叛擒王先」指的就是……

史強生身體反應比腦子更快，老賈衝過他身邊時，他身體微微一蹲，用肩膀一頂……噗通！老賈落進冰冷的海水裡，幾隻好奇的企鵝，在他身旁嘎嘎嘎的叫著。

「老賈啊，泡過海水醒過腦，快點上船火烤烤。」麥哲倫笑著下令：「各船水手歸隊，我們準備出發吧。」

「你不找他們算帳？」尤瑩嘉問。

「算帳？」麥哲倫看著她：「把他們全趕進海裡餵魚？」

「餵企鵝好了。」尤瑩嘉想起那些可憐小鳥，她就生氣。

「三個呆呆的船員，划不動五艘船。」麥哲倫說話的口氣，實在很像老胡。

「可是他們對你那麼壞……」尤瑩嘉不太滿意。

「進船艙找件衣服給他穿，一艘大船等著他去管。」麥哲倫笑嘻嘻的說。

# 神祕東方香料大特賣

超時空遊戲機

回來了！達伽馬回來了！他帶了不少東方世界產的香料回來了。想購買的達官貴族、販夫走卒，歡迎到碼頭購買。航線太遠，載回來的香料有限，先到先選，晚來的只能再等幾年喔！

**胡椒**

產地：印度

可治各種疾病，能讓你心情好轉，可以防腐殺菌，讓牛排更為美味好吃。

**丁香**

產地：東南亞

想跟紳士、美人聊天，擔心口臭問題，嚼顆丁香吧！

**肉豆蔻**

產地：產自印尼

家裡太臭，放點肉豆蔻，去臭增香。

**肉桂**

產地：中國

可當調味品，可以提煉精油。特殊香氣可做甜點，或加入飲料中喔！

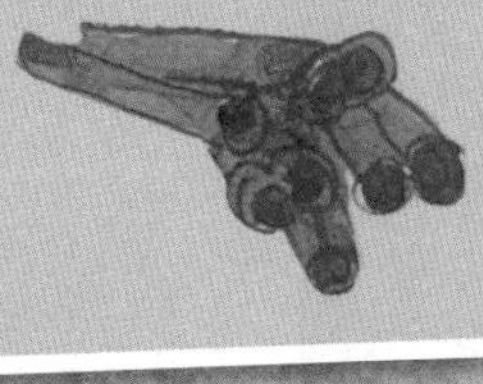

**生薑**

產地：東南亞，調味聖品，增添食物風味。

以上功用，均來自達伽馬船長不負責任推薦。

# 10 胡椒餅桌遊社

尤瑩嘉和史強生跨進船艙時，船突然晃了一下，雷聲大作，他們同時想到：「任務完成了！」

只要船長叫他們回船艙，應該就能回到再度神奇桌遊社。

沒錯，也就一眨眼的時間，他們就發現自己站在桌遊社裡，方桌上的地圖板，還有剛才尤瑩嘉擺的小船，離成功只差四格。

「要是甩出『1』，又要碰到鯊魚。」史強生看著剛才的任務卡，那艘維多利亞號還停在冰雪邊。

「停停！不用丟了，不用丟了。」尤瑩嘉興奮的把卡片拿過去，完成任務又浮現一行字：「前進四格。」四格剛好到達對岸！

小船剛放回里斯本，遊戲完成了，砰砰砰，外頭有人在敲門。

「來了，來了！」兩個人對望一眼，把門打開後，會到什麼地方去呢？

他們慎重的把手放在門把上，那股微弱的電流從手指……門一拉就開了，外頭是個白人，不對，是全身灑滿麵粉的老胡，他們桌遊社的指導老師。

「尤瑩嘉，我想到好方法。」老胡帶了一箱胡椒餅來：「加入桌遊社，吃餅打八折，怎麼樣？」

「胡椒餅桌遊社？」尤瑩嘉搖搖頭。

但是，他說這話的自信表情，讓尤瑩嘉想到一個人，不對，是更多的人：「老師，你跟哥倫布、達伽馬和麥哲倫都好像。」

「什麼哥倫馬？」胡迭香笑。

「也挺像伊恩斯。」史強生補充：「我們玩桌遊時，穿越時空，回到大航海時代。」

老胡冷笑一聲：「再度神奇桌遊社怎麼變成胡言亂語社？」

「老師，你丟一次骰子就知道。」

老胡抓著骰子，半信半疑的。

他一扔，骰子在遊戲板上滾了一個「5」。

尤瑩嘉提醒他：「注意，你會先聽到雷聲或火車聲，然後有電流電在你手上，我們會回到很久以前。」

三個人，默不作聲的。

一秒。

兩秒。

很多秒。

老胡突然大叫一聲：「來了，來了。」

「我沒騙你吧！」

尤瑩嘉得意的望向老胡，老胡大叫：「哇，哇，哇，秦始皇和亞歷山大，埃及大戰古羅馬，唉呀，好可怕……」

「無聊。」史強生說。

「無聊的大人。」尤瑩嘉也說，她拉著史強生走出去。

「我們下週再來玩，別讓他參加。」

老胡抱著胡椒餅追出來：「我是指導老師，誰敢不讓我參加！」

# 麥哲倫是怎麼繞地球一圈？

超時空遊戲機

麥哲倫是葡萄牙的探險家，1519 年率領船隊從西班牙出發，向西航行，橫渡大西洋到達了西印度的香料群島，他確信一定可以環繞地球一周，卻在 1521 年死於與菲律賓當地部落衝突中。然而，船隊在他死後仍繼續向西航行，最後回到歐洲，一共費了三年時間，完成人類史上第一次環球的航程。

麥哲倫小檔案

1480 年出生於葡萄牙，曾向葡萄牙國王申請組織船隊探險，進行環球航行，但國王沒有答應。麥哲倫後來輾轉前往西班牙，向西班牙國王提出航海請求，並獲得支持，因而轉向為西班牙效力。他在環南美洲大陸的旅程中發現了一種企鵝，並將之命名為「麥哲倫企鵝」。南美洲智利南部也有一個海峽以其名字命名。

大西洋
1519 年 9 月 20 日麥哲倫自西班牙桑盧卡爾出發，5 艘船共 265 名船員。
1522 年 9 月 6 日，「維多利亞」號返抵西班牙，完成歷史上首次環球航行。船上只剩 18 人。
桑盧卡爾
加那利群島
太平洋
佛得角群島
1521 年 4 月 27 日麥哲倫在菲律賓被土著攻擊去世。
太平洋
盜賊群島
（馬里亞納群島）
巴拉望
汶萊
蒂多雷
安汶島
帝汶
印度洋
聖保羅島
鯊魚群島
桑塔露琪亞灣
好望角
1520 年 8 月底，船隊找到穿越南美洲大陸的航道，即後人稱呼的「麥哲倫海峽」。
索利斯河
1520 年 3 月 31 日，發現巴塔哥尼亞海岸的廣闊的海灣，命名為聖胡利安灣。
聖胡利安港
希望角
維爾赫納斯角
★表示停靠 ◆表示經過
◀表示航線行進方向

# 絕對可能會客室

在十五～十七世紀被稱為「大航海時期」，歐洲取多冒險家與船隊，對於到世界各地尋找可開發的新天地、新航路都躍躍欲試。不過，究竟這一切是怎麼開始的呢？絕對可能會客室今天邀請了一位航海家，身為地理大發現最早奠基人的他，今天將為我們揭開冒險活動的神祕面紗。

主持人：尤瑩嘉、史強生

本次可能來賓：葡萄牙亨利王子

：在可能小學裡，沒有不可能的事，我是主持人尤瑩嘉。

：在可能電臺裡，沒有邀請不到的人，我是主持人史強生。

：歡迎今天的來賓，葡萄牙來的亨利王子！

：謝謝各位的掌聲，本人聲明，亨利王子是英譯說法，按葡萄牙語來說，我正確的名字應該叫做「恩里克王子」。

：我們代表可能小學歡迎王子到來。

：王子，我可以跟您握握手嗎？（無聲無息三秒鐘），哇，我真的握到亨利王子的手了，我決定不洗手了，我要一直保留王子的手香。

：那是手汗吧！

：不管手香或手汗，太榮幸了，啊～（尖叫！）

：尊貴的王子，不好意思，他看到您太興奮了，可以請王子先自我介紹嗎？

：我是我父王若昂一世的第三個兒子，據說，我出生時，天空有異相，平地也發光，星相家向我父王表示，我未來必有偉大而高貴的征伐，能發現他人無法看到的東西。

：王子果然是王子，像我是在李婦產科出生，聽我媽說她那天吃完榴槤，我就生出來了。

：尤瑩嘉，你的出生不重要，今天的來賓……

：哈，王子不好意思，我有查了一點資料，聽說你從小就對海

很有興趣？

：葡萄牙靠海，它離非洲很近，我想知道海的那頭是什麼，為什麼越往南邊越熱，或是船為什麼不會沉，父王被我問煩了，就派學者來教我。

：因此你就成了航海家？

：另一個原因是「十字軍東征」。

：這段歷史我知道，歐洲基督教徒組了聯軍去打波斯人。

：在十字軍東征最後一戰，十字軍大敗，從此絲綢之路被伊斯蘭教徒占領，商品漲價十倍以上。

：所以你開始去航海？

：不，還有一個原因是，葡萄牙是小國，人口不到一百萬，海

岸線長，海風肆虐，小麥發育不良；想捕魚，沒有大樹造不出大船。被波斯人壟斷貿易後，葡萄牙人連基本的糧食都買不起了。

：這樣你們還有什麼？

：除了北風，還真沒有什麼。

：可是喝風不會飽啊！

：我那時發現一個好地方——休達，它在地中海和大西洋交會處，地勢險要，控制它的伊斯蘭人沒什麼武裝力量，我就率領二萬人，只用一天就占領了它。

：一天占領一座城，太強了。

：幾個戰俘告訴我，有一條古老的商道能穿過沙漠，到達撒哈

拉南邊的一個綠洲國，那裡有奇珍異獸，那裡有數不盡的胡椒、香料，象牙與黃金堆成山。他們還說，那裡的約翰國王，信仰基督教，他的軍隊可以幫教皇，奪回被伊斯蘭人占領的地方。

：真的有那個國家嗎？

：我也很想知道，於是在父王支持下，我的船隊出發，目的就是找這個綠洲國。只是出去的時候，遇到風暴，船隊偏離航線，最後漂到了馬德拉群島，這裡土地肥沃，適合種小麥和甘蔗，我們派遣國內失業的農民去砍樹、種田。

：你們把那裡變成殖民地？

：什麼是殖民地？

：就是一個國家控制另一個國家，原來葡萄牙殖民時代是從這裡開始的。

：啊，我們可以換個話題，我們那時遇到一個世紀大難題，往非洲南下的船隊碰上了——博哈多爾角。

：是綠色魔鬼海？

：歷史上，沒有一艘歐洲船曾成功渡過那片海域，傳說那裡海水沸騰，有巨大的海怪潛伏其中，那裡的陽光具有殺傷力，經過的白人都將被晒成黑人。

：好好笑的傳說。

：我記得後來你們成功了啊。

：是的，我創辦的學校，研發的船隊，還有各種航行的器械幫了大忙，我的僕人伊恩斯成功經過博哈多爾角，過了博哈多爾角，可以沿著非洲海岸一路向南。

：我在書上看過，也因為您的船隊帶回了黑人，後來促進黑奴貿易？

：那是因為我國的貴族認為，家裡有個黑奴，看起來能與眾不同……，唉，這該怎麼說呢？航海要花很多錢，帶些黑奴回來，滿足貴族需求，他們對我航海所需的經費，比較不會有怨言。

：這太過分了，你們這樣把黑人當成什麼了？

：這件事，我也一直很後悔，可是如果沒有國內支持，我就沒辦法派出更多船隊。我們可以再換個話題嗎？其實，我的船隊成功繞過撒哈拉沙漠，發現了比熱戈斯群島。

：王子，你不要一直換話題嘛！

：這樣聽眾會以為你想逃避。

：我是擔心你們沒問到重點，因為我是地理大發現和葡萄牙殖民帝國的最早奠基人。

：所以，您跟著船隊去探險了幾次？

：對啊對啊，您是奠基者，一定是親自帶隊超過十次、二十次吧？

：……（一陣沉默）

：我代表廣大的聽眾請教王子，您去了幾次？

：……沒有！

：沒有？

：因為……因為……

：因為什麼？

：因為我會暈船嘛！

：會暈船的王子，成了地理大發現的推手？

：如果你們有機會去葡萄牙首都里斯本旅遊，在帝國廣場一定會看到一塊紀念碑，它叫「發現者紀念碑」，我就站在最前面，在我身後還排列了十六個人物塑像，別忘了，我站在第一個。

：王子又換話題了。

：反正時間也差不多了，謝謝最愛換話題的亨利王子來訪，希望下次我們可能小學，能舉行校外教學，去里斯本探望您！

：你們一定要來，每天站在那裡看觀光客，太悶了！

：在可能小學裡，沒有不可能的事。

：在可能電臺裡，沒有邀請不到的人。

：我是主持人尤瑩嘉，想加入再度神奇桌遊社，可利用週二社團時間來找我們喔。

：我是主持人史強生，你現在收聽的是——可能小學實習電

臺，絕對可能會客室。

：下週見。

作者的話

# 回到讓世界天翻地覆轉變的瞬間

在可能小學裡，沒有不可能的事。

頭一回寫這套書，還是我當導師的時期，那時班上的孩子，每次月考，其他科都還好，社會卻一考就倒。上社會課的主任很認真，一堂課四十分鐘，他幾乎沒休息的講故事、舉例子，奈何多半的小朋友因為背景知識不足，很多地方沒去過，大半人名沒聽過，一上社會課就去夢裡向周公請益。

我因此興起一個念頭：把社會教室搬到歷史中。

跟乾隆下江南，看京杭運河的運作；跟岑參遊玉門關，看看唐朝選拔美女；進金字塔了解古埃及文化，到羅馬競技場看看角鬥士怎麼訓練……

聽起來熱血，寫起來也很過癮。
可能小學因此誕生，而且寫得欲罷不能。
只是，我們身處的社會，並不是一直這樣的。
往前也不過一百多年，當時還有皇帝；而兩百多年前的世界，沒有機器。再往前一點，歐洲中古時代，宗教牢牢的控制人們的思想，那時的人們，相信地球是平的，想買一點胡椒，要花好多錢。
從遠古到那個年代，世界變化沒那麼快，人們日出而做日落而息，相信今天和明天都一樣。
後來，發生什麼事情，讓世界有了天翻地覆的轉變，我們變成現在的我們？
〈可能小學的西洋文明任務II〉系列，就把目光對準那段時間。
十五～十七世紀的航海時期與地理大發現時代，和我們很有關連，「福爾摩沙」的名稱是經過臺灣的葡萄牙水手喊出來的，荷蘭人甚至在臺南建立熱蘭遮城，把臺灣的水鹿皮賣到日本，將南洋香料載回去。
地理大發現，從葡萄牙的亨利王子開始，他設立世界第一所航海學校，改良海船，鼓勵葡萄牙人往外探險。那時，數百人的船隊出門，要忍受海上孤獨，因為水果青菜攝取不足，敗血症的威脅時時都在，加上暴風巨浪、未知世界的挑戰，幾百人的船隊，回來往往只有數十人。

但也幸好有他們，地球的空白地區被人「發現」了，東西南北的交通便利了，奇花異果和香料，再也不是貴族的專利品。

如果能回到大航海時代，會怎麼樣？

大家都喜歡文藝復興，羅浮宮蒙娜麗莎的微笑、佛羅倫斯的大衛像，都是當時留下的作品，文藝復興源自義大利的佛羅倫斯，那時的梅第奇家族，既是銀行家，也是佛羅倫斯的掌權者，聖母百花大教堂就是他們家族出資興建，除了教堂，他們還支持種種藝術活動，文藝復興三傑達文西、米開朗基羅與拉斐爾，能創作出那麼多好作品，和他們家族的關係都很深。

但是，文藝復興真的那麼美嗎？

跟著可能小學，回到那時大衛像剛刻好，準備運到皇宮前，米開朗基羅即將進入人生的高光時刻，但是他曾經的仇家找上門，委託他雕刻的主教大人有意見，而維持秩序的公爵大人是收保護費的，要是他撤兵，佛羅倫斯就會引來外患……

回到文藝復興時代去走走，小朋友會發現：打開歷史來看看，有這麼多意想不到的驚奇。

二百多年前，法國還是君主專政，歷任的國王彷彿都是天選之人，就像我們相信皇帝是「上天的兒子」，他們一代傳一代，負責管理人民。

直到法國大革命打破階級制度，證明管理人們的國王其實也是人。以往高人一等的貴族，當然更是人。

平凡的百姓向統治階層發出怒火，人人平等，我們不要再被你們剝削了。革命的浪潮，向世界各地湧去，各地的國王、皇帝和大公們，走下王座（龍椅），走入人群，這才有了我們現在的民主制度。

還有還有，蹦奇蹦奇駛來的蒸汽火車，加速工業革命的進步，在那個熱火朝天機器隆隆作響的年代，人們把「時間就是金錢」掛在嘴邊，機器取代人力，煙囪冒出來的濃煙，象徵一個新時代的開始。

如果沒有工業革命，說不定現在的孩子，依然在農場、莊園裡工作。還好有了工業革命，商品變便宜了；還好有了地理大發現，生產的東西可以送到世界各地；還好有了法國大革命，我們一人一票選總統，世界再也不是國王說了算；還好有了文藝復興，人們開始注意到我們生而為人，把目光放在怎樣讓人能做更好的人。

穿越時空，回到那些變動劇烈的時代，除了佩服前人的努力，孩子們更能珍惜我們現在擁有的一切，知道它們得來不易，因此更值得好好珍惜！

歡迎跟著可能小學的腳步，我們一起回到那些年代！

可能小學的西洋文明任務 II ——— 1

# 航海王大冒險

作者｜王文華
繪者｜李恩

特約編輯｜蕭景蓮
責任編輯｜楊琇珊
封面設計｜也是文創有限公司
電腦排版｜中原造像股份有限公司
行銷企劃｜洪筱筑

天下雜誌群創辦人｜殷允芃
董事長兼執行長｜何琦瑜
媒體暨產品事業群
總經理｜游玉雪
副總經理｜林彥傑
總編輯｜林欣靜
行銷總監｜林育菁
主編｜李幼婷
版權主任｜何晨瑋、黃微真

出版者｜親子天下股份有限公司
地址｜台北市 104 建國北路一段 96 號 4 樓
電話｜（02）2509-2800　傳真｜（02）2509-2462
網址｜ www.parenting.com.tw
讀者服務專線｜（02）2662-0332　週一～週五：09:00~17:30
傳真｜（02）2662-6048　客服信箱｜ parenting@cw.com.tw
法律顧問｜台英國際商務法律事務所・羅明通律師
製版印刷｜中原造像股份有限公司
總經銷｜大和圖書有限公司　電話：（02）8990-2588
出版日期｜ 2023 年 9 月第一版第一次印行
定價｜ 350 元
書號｜ BKKCE033P
ISBN ｜ 978-626-305-564-3（平裝）

訂購服務
親子天下 Shopping ｜ shopping.parenting.com.tw
海外・大量訂購｜ parenting@cw.com.tw
書香花園｜台北市建國北路二段 6 巷 11 號　電話（02）2506-1635
劃撥帳號｜ 50331356 親子天下股份有限公司

立即購買 >

有聲故事書

國家圖書館出版品預行編目資料

航海王大冒險／王文華文；李恩圖 . -- 第一版 . --
臺北市：親子天下股份有限公司 , 2023.09
160 面；17X22 公分 . --（可能小學的西洋文明任務 . II；1）
國語注音
ISBN 978-626-305-564-3（平裝）
863.596　112012989